FAMILIEPERIKELEN

Olga van der Meer

Familieperikelen

Uitgeverij Westfriesland

Eerste druk in deze uitvoering 2004

NUR 344
ISBN 90 205 2714 2

Copyright © 2004 by 'Westfriesland', Hoorn/Kampen
Omslagillustratie: Gerda van Gijzel
Omslagontwerp: Van Soelen, Zwaag

HOOFDSTUK 1

Een felle regenbui geselde de uitgestrekte tuin die hotel Margaretha omsloot. De aanwezige gasten zaten enigszins kleumend in de lobby en in de grote eetzaal, die tussen de maaltijden door de functie van huiskamer had. Marga Nieuwkerk, de gastvrouw van het naar haar vernoemde hotel, had de verwarming al zorgzaam wat hoger gezet en de openslaande deuren naar het terras, die een uur geleden nog open hadden gestaan, gesloten. Diezelfde ochtend had daar nog een uitnodigend zonnetje door geschenen.

„Het is hier toch altijd hollen of stilstaan," klaagde mevrouw Smits, één van de regelmatig terugkerende gasten. „Vanochtend had ik een dun blousje aan, nu zit ik te rillen in mijn trui."

„Een buitje is goed voor het stof," meende Marga opgewekt. „En de voorspellingen zijn goed. Morgen kunt u vast weer heerlijk buiten zitten." Met een hartelijk knikje liep ze door.

Er waren maar weinig onderwerpen waar ze zoveel over sprak als over het weer, dacht ze met een glimlach. Iedere gast had het erover en meestal niet in positieve zin. Soms werd Marga gestoord van het oeverloze gezeur van sommige gasten, maar dat was iets wat ze nooit liet merken. Sinds de oprichting van hotel Margaretha, nu ruim een jaar geleden, had ze zich voorgenomen altijd beleefd en geduldig te zijn naar haar gasten toe en daar hield ze zich strikt aan. Als gastvrouw was ze een vraagbaak en een aanspreekpunt. Zowel klachten als complimentjes, en alles wat daar tussen lag, hoorde zij als eerste aan.

Marga voelde zich in haar element in het hotel. Na jarenlang voor haar gezin gezorgd te hebben, viel ze in een zwart gat toen haar kinderen in korte tijd allevier het ouderlijk huis verlieten. Op het moment dat zij en haar man Barend een grote hoofdprijs in een buitenlandse loterij wonnen, veranderde hun leven totaal. Na de nodige aanpassingsproblemen in de wereld van het geld, besloten ze met het hele gezin een hotel te beginnen. Het was een stap waar Marga nooit spijt van had gekregen en ze wist dat haar man en kinderen er ook zo over dachten.

Barend had na zijn baan als arbeider eindelijk zijn bestemming gevonden. Iets als dit had hij altijd gewild, maar door hun snel groeiende gezin had hij zijn dromen opzij gezet. Hij had altijd hard moeten werken om zes monden te vullen en zijn vroegere plannen om een studie te volgen, waren in de loop der jaren verdwenen. Maar nu was alles anders, nu was hij directeur van een goedlopend familiehotel en als zodanig een geslaagd zakenman. Zijn droom was uitgekomen en hij genoot er met volle teugen van.

Waar Marga vooral blij was omdat haar kinderen in het hotel werkten en daardoor de familiebanden weer stevig aangehaald waren, voelde Barend zich vooral goed bij de zakelijke kant van het bedrijf. Hij bemoeide zich met alles, soms tot ergernis van zijn kinderen en de overige personeelsleden, maar omdat hij altijd opgewekt en hartelijk was, werd hem veel vergeven.

„Het hotel is voor pa hetzelfde als een poppenhuis voor kleine meisjes," had Sjoerd, de oudste zoon, eens grinnikend opgemerkt en daarmee had hij precies in de roos geschoten.

Sjoerd onderhield de website van het hotel en zorgde voor de computerprogramma's, daarnaast leidde hij samen met zijn vrouw Anneke de souvenirwinkel die naast de lobby gevestigd was. Hun kinderen, de tweeling Damian en

Charity, zaten de hele dag op school en tijdens die uren werkte Anneke in de winkel. Om drie uur haalde ze de tweeling op en ging met ze naar huis, waarna Sjoerd haar taak in de winkel overnam. Na een donkere periode in hun huwelijk waarin ze hard bezig waren uit elkaar te groeien, beviel dit hen prima. Ze zetten zich gezamenlijk in om een succes van hun winkeltje te maken en dat schiep een band die ze voorheen niet hadden.

De band tussen alle gezinsleden was trouwens versterkt door het opzetten van hun hotel. Allemaal hadden ze hun eigen aandeel in het bedrijf. Froukje, de oudste dochter, runde een minikapsalon die naast het souvenirwinkeltje van Sjoerd en Anneke gevestigd was, terwijl Noortje de leiding had over de twee crèches van het hotel. Eén voor de kinderen van gasten en één voor de kinderen van de voornamelijk vrouwelijke personeelsleden. Haar tweelingzus Lieke had een eigen evenementenbureau, met hotel Margaretha als grootste en vaste klant.

Vlak voor de opening van het hotel was Lieke getrouwd met David Zomers. Als manager van een groot softwarebedrijf was hij de enige van het gezin die op professioneel gebied niets met het hotel te maken had, maar hij voelde zich er wel bij betrokken.

„Dat kan niet anders als je introuwt in de familie Nieuwkerk," zei hij altijd. „De toekomstige partners van Froukje en Noortje zullen dat ook wel gaan merken."

Ja, het hotel bepaalde een belangrijk deel van hun leven, maar niemand van de familie Nieuwkerk beschouwde dat als een probleem. Integendeel zelfs. Het was destijds een enorme gok geweest om een dergelijk project op te starten, maar achteraf waren ze allemaal blij dat ze de stap hadden gewaagd. Door het gezamenlijke doel waren de verslapte familiebanden aangehaald. Ze vormden weer, net als vroeger voor ze die loterij gewonnen hadden, één geheel. Hotel Margaretha was precies geworden wat ze voor ogen hadden gehad toen de eerste plannen op tafel kwamen. Een warm, gezellig en sfeervol familiehotel, waar het zowel voor de medewerkers als de gasten goed vertoeven was.

„Binnen!" riep Lieke. Vanachter het bureau op haar kantoor keek ze verwachtingsvol naar de deur. Het was haar zus Froukje die binnenkwam. „Sinds wanneer klop jij zo netjes aan bij mij?" grinnikte Lieke.
„Ik wist niet zeker of je alleen was. Er liep net namelijk een delegatie zwarte pakken met grijze stropdassen en attachékoffertjes deze kant op. Dat hadden klanten van jou kunnen zijn," legde Froukje uit.
„Die zijn hier voor Leen," wist Lieke.
Leen was de bedrijfsleider van het hotel, speciaal ingehuurd omdat de familie Nieuwkerk veel enthousiasme, maar weinig vakkennis bezat. Zijn aanstelling was een schot in de roos geweest. Op deskundige wijze en met veel gedrevenheid had hij het hotel in korte tijd tot grote bloei gebracht.
„Wat brengt jou naar mijn nederige kantoortje?" informeerde Lieke terwijl ze het kleine espressoapparaat inschakelde en twee kopjes volschonk. Ze leunde even behaaglijk achterover, blij met deze onderbreking. Haar bedrijfje was al aardig aan het groeien en ze maakte dan ook lange dagen. Een praatje tussendoor bracht dan net de nodige afleiding.
„Ik heb een opdracht voor je," viel Froukje met de deur in huis.

„Hoezo? Ga je je verloven met Leen? Is het hem eindelijk gelukt?" plaagde Lieke. Het was een publiek geheim dat Leen Froukje erg graag mocht, maar ze was nog nooit op zijn toenaderingspogingen ingegaan.

„Doe normaal. Nee, het gaat om ma en pa en Gerda en Joop. Over twee maanden is het vijfentwintig jaar geleden dat ma en pa in ons ouderlijk huis gingen wonen en dus ook vijfentwintig jaar geleden dat de vriendschap met Joop en Gerda ontstond. Ik vind dat ze dat moeten vieren."

„Zoveel contact is er de laatste tijd anders niet meer," wist Lieke. „Nadat pa die prijs had gewonnen werd het al minder, omdat Joop en Gerda niet de indruk wilden wekken dat ze van hem wilden profiteren en sinds we het hotel zijn gestart is het nog meer verwaterd."

„Daarom juist," verklaarde Froukje beslist. „Ze hebben jarenlang lief en leed gedeeld, op elkaars kinderen gepast en ettelijke avonden met zijn vieren zitten kaarten, het is toch zonde dat zo'n vriendschap langzaam een zachte dood sterft? Ik wilde wat leuks organiseren voor hun zilveren jubileum, zodat de banden weer wat aangehaald worden."

„Oké, we maken er een speciale dag van voor ze," beloofde Lieke. „Ik zal mijn best doen. Krijg ik trouwens betaald voor deze opdracht?"

Froukje tikte met een veelbetekenend gebaar op haar voorhoofd. „Liefdewerk oud papier, dame. De kosten die deze dag met zich meebrengt, betalen we onder elkaar wel."

„Weten Noortje en Sjoerd dat ook al?"

„Nee, maar die maken heus geen bezwaar. Dus je maakt een plan?" vroeg Froukje terwijl ze opstond.

Lieke knikte en strekte haar hand uit naar de rinkelende telefoon. Haar gezicht klaarde op bij het horen van de stem van haar echtgenoot David. „Ha schat," jubelde ze.

Froukje sloot met een glimlach de deur van Lieke's kantoortje achter zich. Lieke en David waren inmiddels ruim een jaar getrouwd en nog hevig verliefd op elkaar. Soms was Froukje daar een beetje jaloers op. Het opstarten van het hotel betekende destijds het einde van haar eigen relatie en sindsdien woonde ze alleen in haar riante, vrijstaande woning. Hoewel ze niet ongelukkig was in haar eentje, miste ze wel eens de aanwezigheid van een partner, vooral als ze het geluk van haar zus zag.

Op dat moment ving ze de knipoog van de langslopende Leen op en onwillekeurig begon Froukje te blozen. Ze wist hoe hij over haar dacht en hoewel ze die gevoelens niet beantwoordde, was ze er wel door gevleid.

„Heb je het druk?" informeerde David inmiddels bij zijn vrouw.

„Altijd. Ik heb trouwens net een opdracht van Froukje gekregen." Lieke vertelde hem kort wat ze met haar zus besproken had.

„Echt iets voor Froukje," meende David. „Zij was het tenslotte ook die het hotel wilde beginnen om de familie bij elkaar te houden toen jullie vanwege het geld uit elkaar dreigden te groeien. Ze is een echt gevoelsmens."

„En juist Froukje, met al haar behoefte aan warmte en liefde, is alleen. Ironisch hè?" peinsde Lieke.

„Misschien moeten we het lot wel een handje helpen," stelde David half lachend, half serieus voor. „Kun je geen romantisch verrassingsuitstapje voor Froukje en Leen bedenken, iets waarbij ze elkaar in een sfeervol restaurant tegenkomen of zo? Jij bent tenslotte de vrouw van het vak."

„Nou nee, daar waag ik me niet aan," weerde Lieke dat echter af. „Ik ga niet in iemands privé-leven zitten roeren. Maar je brengt me wel op een idee voor het vriendendagje van ma en pa. Bedankt, schat."

„Graag gedaan. Ik sta altijd tot je beschikking, dat weet je," grinnikte David. „Daar bel ik trouwens ook voor. Die geplande vergadering aan het eind van de ochtend is afgelast, dus ik wil samen met jou gaan lunchen."

„Ik kan niet, ik heb een lunchbespreking met een groot bedrijf dat me in wil huren om een feest te organiseren voor de kinderen van hun personeelsleden," zei Lieke. „Het spijt me, schat."

„Niets aan te doen. Dat is het risico als je getrouwd bent met een carrièrevrouw," zei David.

Zijn stem klonk luchtig, maar Lieke wist dat hij het vervelend vond. Met zijn drukke baan en haar groeiende bedrijfje hadden ze weinig tijd voor elkaar.

Na hem beloofd te hebben die avond vroeg thuis te zijn, verbraken ze het gesprek en Lieke bleef even peinzend voor zich uit staren. Ze overwoog om dat bedrijf te bellen voor een andere afspraak, maar verwierp dat plan alweer meteen. Dat kon ze zich niet veroorloven, daarvoor stond haar bedrijf nog te veel in de kinderschoenen. Iedere opdracht moest ze aanpakken in de hoop dat ze door middel van mond op mond reclame naam zou gaan maken in het bedrijfsleven. Vaak ging dat inderdaad ten koste van haar privé-leven. Ze bracht minder tijd met David door dan ze zou willen, maar Lieke troostte zichzelf met de gedachte dat dat het lot was van de meeste jonge echtparen. Een carrière slokte nu eenmaal veel tijd op, om nog niet te spreken van de vele sociale verplichtingen die Davids functie met zich meebracht.

Ooit zou dat vanzelf wel beter worden, hield ze zichzelf

voor. Ze was nu op de goede weg met haar bedrijfje, als het zo doorging kon ze binnen afzienbare tijd iemand aannemen voor de administratie, wat haar ontzettend veel tijd zou schelen. Dankzij de enorme geldprijs die haar ouders met hun kinderen gedeeld hadden, hoefde Lieke zich nooit zorgen te maken over haar financiën, maar ze hield haar bedrijf strikt gescheiden van haar persoonlijke vermogen. Als ze personeel aannam, moesten de kosten daarvan gedekt worden door de inkomsten van het bedrijf en zover was ze nog niet. Het hotel zorgde als haar grootste opdrachtgever weliswaar voor een stukje zekerheid, maar leverde niet genoeg op om uit te breiden. Daar was nu eenmaal tijd voor nodig, zeker met alle bezuinigingsmaatregelen die de grote concerns tegenwoordig doorvoerden. In het budget wat die voor personeelsuitstapjes hadden, werd de laatste tijd flink gesneden, dat had Lieke vaker gemerkt. Enfin, het was niet anders. Gelukkig vond ze het geen probleem om hard te werken en lange dagen te maken, want ze hield van haar werk. Het oprichten van haar eigen evenementenbureau was een lang gekoesterde droom geweest voor Lieke en ze was nog steeds iedere dag blij dat ze die droom had kunnen verwezenlijken.

Froukje had inmiddels Sjoerd en Noortje ingelicht over haar plannen en zoals ze wel verwacht had, stemden die daar onmiddellijk mee in.

„Echt iets voor jou om daaraan te denken," zei Noortje waarderend. „Mijn hersens hebben een ingebouwde afkeer van het onthouden van data, ik vergeet dergelijke dingen altijd."

„Jij hebt weer andere kwaliteiten," meende Froukje schouderophalend.

„O ja? Noem er eens een paar." Noortje streek met een vermoeid gebaar over haar voorhoofd. „Ik ben momenteel zo moe dat ik wel een complimentje kan gebruiken."

„Eigenlijk moet ik daar niet aan toegeven, daar krijg je alleen maar kapsones van, maar vooruit, één keertje dan. Je bent lief en zorgzaam, staat voor iedereen klaar en cijfert jezelf weg om andere mensen te helpen," somde Froukje op. „Tevreden?"

„Hm, ik had liever gehoord dat ik waanzinnig knap, razend aantrekkelijk en superintelligent was, maar het kan ermee door," bromde Noortje.

Ze schoten samen in de lach, wat Leen, die achter de receptie bezig was, deed opkijken.

„Wat een plezier. Mag ik ook meedoen?" informeerde hij geamuseerd.

„Nee jongen, wij bespreken vrouwenzaken en dat is niets voor jou," pareerde Froukje onmiddellijk.

Leen trok zijn wenkbrauwen hoog op. „Ik wist niet dat vrouwenzaken zo lachwekkend zijn. Mijn zussen doen daar altijd heel serieus en geheimzinnig over. Ik wil daar wel eens uitgebreid over ingelicht worden, een mooie taak voor jou, Frouk."

„Dat vraag je maar aan je zussen," weerde die dat echter af.

Omdat één van de gasten Leen aansprak kon hij daar geen commentaar meer op geven en Froukje en Noortje liepen lachend weg om het gesprek niet te verstoren.

„Leen is een leuke vent," sprak Noortje op waarderende toon. „Wanneer ga je nou eens op zijn avances in? Het hele hotel is in afwachting van wanneer er eens iets gaat gebeuren tussen jullie."

„Zeg, begin jij ook al? Lieke had het er daarnet ook al over," zei Froukje licht geïrriteerd.

„Kun je nagaan hoe het opvalt," was Noortjes laconieke

verweer. „Maar even serieus, wat heb je tegen hem?"

Froukje trok met haar schouders. „Niets, maar dat wil toch niet zeggen dat ik me meteen in een relatie moet storten met hem? Ik ken zoveel leuke mannen, maar ik word nu eenmaal niet zo snel verliefd."

„Je geeft mannen dan ook weinig kans. Ik heb vaker gemerkt dat mannelijke gasten je leuk vinden, maar je trekt je altijd terug als ze een poging doen om met je te flirten."

„Driekwart van dergelijke mannen hebben een vrouw thuis zitten," zei Froukje kortaf. „Ik hou niet van dat luchtige gedoe als het om relaties gaat. Voor mij is het alles of niet. Ga zelf maar achter Leen aan als je hem zo leuk vindt, jij bent ook nog vrijgezel."

„Nee, dank je. Ik heb helemaal geen behoefte aan een man in mijn leven."

Tijdens het praten waren de twee zussen naar buiten gelopen, waar de tuin hen na de fikse regenbui opgefrist verwelkomde. Alsof het afgesproken was slenterden ze naar de achterkant van het overdekte zwembad, een plek waar ze zich vaker terugtrokken als ze ongestoord wilden praten. Gasten kwamen hier maar zelden, die bleven liever in het open gedeelte en het terras.

Froukje keek Noortje na haar laatste woorden even van opzij aan. „Je treurt nog steeds om Frits," constateerde ze. Het duurde een paar minuten voor Noortje daarop reageerde. Ze staarde zwijgend naar de bomen die de achterkant van de tuin omsloten, haar gezicht stond triest.

„Treuren is een erg groot woord," zei ze uiteindelijk. „Maar ik ben hem inderdaad nog niet vergeten, nee. Hij was mijn grote liefde en soms denk ik dat hij dat altijd zal blijven, dat er nooit een ander komt die zijn plaats in kan nemen." Het klonk berustend en absoluut niet pathetisch.

Froukje wist dat haar zus zich erbij neer had gelegd dat het niets meer kon worden tussen Frits en haar, maar dit was de eerste keer dat ze begreep hoe diep Noortjes gevoelens waren. Ze sprak er eigenlijk nooit over.

„Is het niet zo dat je hem idealiseert?" vroeg ze voorzichtig. „In gedachten wordt iemand natuurlijk steeds leuker, maar jullie zijn destijds niet voor niets uit elkaar gegaan."

„Dat was mijn keus anders niet," antwoordde Noortje onmiddellijk. „Frits was er nog niet aan toe om zich te binden, het werd hem te serieus. Als het aan mij had gelegen waren we allang getrouwd geweest en hadden we een paar kinderen gehad, ik heb nooit twijfels gekoesterd op dat gebied. Nog niet trouwens. Als ik de kans had zou ik meteen opnieuw beginnen met hem."

„Ondanks zijn ziekte?" vroeg Froukje.

Noortje knikte bevestigend. Nadat haar relatie met Frits destijds beëindigd was, was hij tot de ontdekking gekomen dat hij seropositief was. Omdat hij niet wist wanneer hij het virus op had gelopen, had hij Noortje gewaarschuwd dat zij ook besmet kon zijn. Gelukkig was dat wrede lot haar bespaard gebleven, maar het weerzien met Frits had haar hele leven overhoop gehaald. Hij beantwoordde die gevoelens, dat wist ze, zijn ziekte weerhield hem er echter van om opnieuw een relatie met haar aan te gaan.

„Dat zou voor mij geen belemmering zijn," zei Noortje op Froukje's vraag. „Een gezonde man neemt tenslotte ook geen garantiebewijs mee dat hem nooit iets zal overkomen."

„Toch kan ik me Frits' gedachtegang wel voorstellen. Het zou ontzettend zwaar geweest zijn," peinsde Froukje.

„Misschien wel, maar het was een keus die ik liever zelf

gemaakt had. Enfin, het is nu eenmaal zo, ik zal me erbij neer moeten leggen. Dat klinkt overigens makkelijker dan het is, ik heb het er vaak moeilijk mee," bekende Noortje.

„Dan huil je maar bij mij uit, ik heb brede schouders," bood Froukje hartelijk aan. „Wij worden gewoon de twee oude vrijsters van de familie. Gaan we lekker samen in één huis wonen en de kinderen van Sjoerd en Lieke extra verwennen. Worden we suikertantes."

Ze sprak luchtig in de hoop haar zus een beetje af te leiden van dit loodzware onderwerp. Gelukkig ging Noortje erop in.

„Alleen als we een parkiet nemen," bedong ze. „Dat hoort er echt bij."

Froukje knikte. „En allebei een knot in ons haar."

Giechelend liepen ze terug naar de ingang van het hotel, want hun pauze was inmiddels voorbij. Marga stond bij de receptie en ze keek haar dochters glimlachend aan.

„Zo dames, genoten van jullie pauze?" vroeg ze.

„We hebben een pact gesloten," vertelde Froukje terwijl ze Noortje een arm gaf. „Geen mannen meer voor ons! Wij blijven allebei eeuwig vrijgezel."

„Zonde," vond Marga laconiek. „Ik ben benieuwd hoe lang jullie dat volhouden."

„De rest van ons leven natuurlijk," lachte Noortje. „Ik trek vast bij Froukje in, dan kunnen we oefenen voor onze oude dag."

„Ik spreek jullie over een paar jaar nog wel," riep Marga haar dochters na toen ze allebei hun eigen werkplek weer opzochten.

Hoofdschuddend boog ze zich over het gastenboek. Ze was benieuwd wat de toekomst in petto zou hebben voor deze twee jonge vrouwen op het gebied van de liefde, maar het was maar goed dat ze daar op dat moment nog geen weet van had.

HOOFDSTUK 2

Voor het vieren van het zilveren vriendschapsjubileum had Lieke een oud plan uit de kast getrokken, iets wat ze twee jaar geleden had uitgewerkt voor het vijfentwintigjarige huwelijk van hun ouders. Het betrof een speurtocht die hen langs plekjes moest voeren die belangrijk voor ze waren, met tal van kleine verrassingen onderweg. Het eindpunt zou Froukjes huis zijn, waar het hele gezin hen op zou wachten met een door een kok bereid diner. Het hele plan was toen niet doorgegaan omdat Barend in één klap multimiljonair was geworden en hij besloot een tot partycentrum verbouwd kasteel af te huren voor de bruiloft. Liekes plan was in de kast beland, maar ze had het nooit over haar hart kunnen verkrijgen om het weg te gooien.

Met wat aanpassingen moest het geschikt zijn, peinsde ze terwijl ze de vellen papier doorlas. Er waren genoeg plaatsen waar Barend, Marga, Gerda en Joop gezamenlijke herinneringen aan hadden. Deze keer zou de tocht dan eindigen in een restaurant en konden ze na het diner een musical bezoeken. Lieke, Noortje, Froukje en Sjoerd waren het er allemaal over eens dat ze de twee echtparen daarmee het grootste plezier zouden doen, maar alleen een etentje en een avond uit vond Lieke te gewoontjes. Het moest een echte verrassingsdag worden.

Ze was zo verdiept in het uitwerken van haar plannen dat ze niet merkte dat David het kantoor binnenkwam.

„Betrapt," zei hij op licht verwijtende toon. „Hadden wij niet afgesproken dat je vroeg thuis zou zijn?"

„Is het al zo laat dan?" Lieke keek op haar horloge en zag tot haar schrik dat het al zeven uur geweest was. „Oeps. Sorry schat, ik ben de tijd vergeten," zei ze berouwvol.

„Zoals gewoonlijk," constateerde David. „Ik had al zo'n flauw vermoeden toen ik net naar huis belde en er niet opgenomen werd. Toen ik op weg naar huis een omweg hierlangs maakte en licht in je kantoor zag branden, wist ik het zeker."

„Aha, dus je hebt zelf ook niet braaf om vijf uur je kantoordeur achter je dichtgegooid?" merkte Lieke spits op.

Hij keek haar schuldbewust aan. „Er was een uit de hand gelopen bespreking, met daarna nog een belangrijk telefoontje," bekende hij.

„Het is maar goed dat we het allebei druk hebben en dat niet één van ons thuis constant op de ander zit te wachten, anders hadden we echt een probleem gehad," zei Lieke. Ze liep naar hem toe en gaf hem een zoen.

„We moeten er nu anders wel voor waken dat we niet doorschieten naar de andere kant," meende David. „Soms heb ik echt wel eens het gevoel dat jij je werk belangrijker vindt dan je huwelijk."

„Dat meen je niet!" Lieke keek hem geschrokken aan. „Ik hou van je. Mijn werk betekent heel veel voor me, maar het vormt echt geen concurrentie voor jou, als je daar bang voor bent."

„Dat weet ik wel, het is gewoon een onaangenaam gevoel wat me af en toe bekruipt," suste David.

„Ik vind het anders heel erg dat je zoiets zegt." Lieke ging weer achter haar bureau zitten en steunde met haar kin op haar hand. „Het klinkt als een verwijt aan mijn adres, terwijl jij minstens zoveel uur per week werkt als ik."

„Zo bedoel ik het niet. Het is alleen…" David stokte en zuchtte. Hij had al spijt dat hij erover begonnen was, tenslotte wist hij hoe gevoelig dit onderwerp voor Lieke was. Haar bedrijfje betekende voor haar oneindig veel meer dan slechts een baan. „Jij bent vaak 's avonds weg omdat je er altijd bij wilt zijn als je hier iets georganiseerd hebt en dat vind ik ongezellig."

„Dan had je een vrouw zonder ambities moeten trouwen, iemand die braaf met het eten op je wacht als jij thuiskomt," zei Lieke bits.

„Het was geen verwijt, ik zeg je alleen wat ik voel," wees David haar terecht.

„Zo klonk het niet. Natuurlijk ben ik 's avonds vaak weg, dat brengt mijn werk nu eenmaal met zich mee. In principe houdt dat in dat ik overdag vaker vrij kan nemen dan ik nu doe, maar daar zie ik het nut niet van in omdat jij er dan niet bent."

„Laten we er maar over ophouden," stelde David voor. „Het was echt niet mijn bedoeling om je aan te vallen. Ik hou van je zoals je bent, juist vanwege je gedrevenheid en ik heb helemaal geen behoefte aan een vrouw die alleen maar op mij zit te wachten omdat ze zichzelf niet bezig kan houden."

„Maar een echtgenote die 's ochtends net wat later de deur uitgaat en die 's avonds eerder thuis is dan jijzelf, zou voor jou ideaal zijn," merkte Lieke bitter op. „Dan merk je tenminste niet dat ze werkt."

„Liek, hou op!" zei David.

Hij begon boos te worden omdat ze zo onredelijk was. Het dreigde uit te lopen op een fikse ruzie, maar Lieke capituleerde voor het zover kwam.

„Je hebt gelijk," gaf ze schoorvoetend toe. „Het is voor jou ook niet gezellig dat ik zo weinig thuis ben, maar het werkt van beide kanten. We vinden onze carrières nu eenmaal allebei belangrijk en ik zeur ook niet als jij laat bent vanwege een vergadering of wat dan ook. Ik zal in het vervolg proberen mijn tijden een beetje aan te passen aan de jouwe."

„Oké, dan zal ik minder klagen," beloofde David. Hij trok haar overeind uit haar stoel en zoende plagend het puntje van haar neus. „Kom mee, schat. We staan hier onze kostbare tijd te verdoen. Waar zullen we gaan eten?"

„Wat dacht je ervan om lekker naar huis te gaan en iets te laten bezorgen?" stelde Lieke voor terwijl ze haar lichaam tegen dat van hem aan vleide. „Ik heb niet zo'n behoefte aan andere mensen om me heen."

„Dat lijkt me een uitstekend plan," zei David schor.

Met de armen om elkaar liepen ze door de stille lobby naar de uitgang. De receptioniste die avonddienst had groette hen vriendelijk, maar Lieke en David hadden dat niet eens in de gaten, ze waren veel te veel verdiept in elkaar.

„Trek het je niet aan, het is niet persoonlijk bedoeld," zei Noortje tegen haar. Ze kwam net uit de eetzaal gelopen en zag haar zus en zwager vertrekken.

„Ze zijn ook zo verliefd," vergoelijkte Leontien. „Ik wou dat ik zo'n leuke vriend had als die David. Sommige mensen boffen toch maar, ik ben al drie maanden alleen. Mijn vriend is er vandoor gegaan met een ander."

„Dan is hij je ook niet waard," zei Noortje vriendelijk.

Ze maakte snel een eind aan het gesprek voor er nog meer confidenties kwamen waar ze niet op zat te wachten. Leontien was een leuke meid, maar ze versleet vriendjes zoals een ander panty's en kon daar eindeloos over vertellen. Als Noortje ergens geen behoefte aan had, dan was het wel aan andermans verhalen over de liefde.

Liefde, wat was dat ook alweer, dacht ze bitter bij zichzelf terwijl ze haar wagen naar het centrum van de stad stuurde. Haar eigen liefdesleven was een puinhoop sinds haar relatie met Frits was beëindigd en haar hoop op een verzoening was de bodem ingeslagen nadat hij haar had verteld dat hij ziek was. Sinds die bewuste avond hadden ze elkaar nog een paar keer gezien, maar Frits had haar duidelijk gemaakt dat hij zich niet aan haar wilde binden vanwege zijn ziekte.

„Er zit een sluipmoordenaar in mijn lichaam en niemand weet wanneer die toe zal slaan. Dat kan ik jou niet aandoen," had hij gezegd.

Ondanks Noortjes tegenargumenten was hij onwrikbaar bij dat harde standpunt gebleven. Vastberaden was hij uit haar leven verdwenen. Noortje wist niet of ze hem moest bewonderen voor de kracht die hij toonde, of dat ze hem moest haten voor wat hij haar aandeed door weg te gaan. Ze had graag samen met hem tegen de ziekte willen vechten, maar daar nooit de kans voor gekregen.

Ze parkeerde haar wagen voor een oud, haveloos uitziend gebouw dat dienst deed als opvang voor daklozen en drugs- en alcoholverslaafden. Met weinig middelen, bijna geen subsidie en een handjevol vrijwilligers werd hier een onderdak geboden aan de verschoppelingen van de samenleving. Mensen wier levens door verschillende omstandigheden naar de afgrond waren gegleden en die vaak werden beschimpt door anderen die meer geluk hadden gekend.

Noortje deed twee avonden per week en één weekend per maand dienst in dit tehuis als vrijwilligster. Het was een zware taak naast haar fulltime baan, maar dat had ze nooit als een bezwaar gezien. Het zat in haar karakter om voor anderen te zorgen en op te komen voor mensen die het slechter hadden getroffen dan zijzelf.

Behalve het daadwerkelijke helpen wat ze deed, was ze ook de belangrijkste donateur. De rente van haar kapitaal werd rechtstreeks overgeschreven naar de rekening van dit opvangtehuis, maar dat was iets wat bijna niemand wist. Noortje wilde absoluut niet bekend staan als de grote weldoener, ze hielp rechtstreeks vanuit haar hart. Dat kapitaal was haar zonder meer in de schoot geworpen dankzij die loterij, ze vond het niet meer dan logisch dat ze andere mensen daarvan mee liet profiteren. Dat gaf haar meer voldoening dan het geld spenderen aan een groot huis of verre reizen. Zij was de enige van het gezin die nog in dezelfde behuizing woonde als voor het winnen van die prijs, het eenvoudige driekamerflatje dat ze vroeger met haar tweelingzus Lieke had gedeeld.

Ze liep de verveloze hal binnen en meldde zich bij Ursula, de leidster van het opvangtehuis en ook de enige die betaald werd voor haar werkzaamheden. Ze was haar karige salaris meer dan waard, want Ursula zette zich met hart en ziel in voor 'haar' mensen en was bijna altijd aanwezig. Een privéleven leek ze niet te hebben, al wist niemand daar het fijne van.

„Ha Noor," was haar enthousiaste begroeting. „Je valt vanavond met je neus in de boter. Twee nieuwe gasten en een nieuwe vrijwilliger. Bovendien zijn de weersvoorspellingen slecht, dus ik verwacht vanavond een grote toeloop. We zullen maar flinke kannen thee en koffie aan laten rukken."

„Twee nieuwe gasten?" herhaalde Noortje verbaasd. Ze trok haar jas uit en ging tegenover Ursula zitten. „En waar wilde je die neerleggen?"

Het tehuis had een aantal min of meer vaste bewoners en Ursula wist altijd inventief wat extra plekken te creëren. Haar beleid ging meestal dwars tegen de wettelijke bepalingen en gemeentelijke eisen in, maar daar trok ze zich weinig van aan. „Mensen die acuut hulp nodig hebben zijn niet gebaat bij onzinnige, theoretische regeltjes," placht ze te zeggen. „Die moeten een bed, een maaltijd en een luisterend oor hebben, zonder ellenlange wachtlijsten." Er waren in het opvanghuis een paar bewoners die langdurig bij hen bleven, voor de rest was er een groot verloop. Vaak ging het om mensen die aan het eind van hun latijn waren en een paar weken onderdak en eten zochten. Zodra ze wat bijgekomen waren trokken ze dan weer de straat op om zich opnieuw over te geven aan hun verslaving. Sommigen van hen zagen ze een paar keer per jaar, steeds bezield van de beste voornemens bij aankomst, maar iedere keer weer terugvallend in het oude patroon. Er waren er maar heel weinig die zich dankzij hun hulp een vaste plek terug in de maatschappij wisten te veroveren, maar ieder mens was er één. Voor Ursula maakte het geen verschil wie er aan de deur stond. Ze hielp iedereen, ongeacht de omstandigheden.

„Er was toevallig een plek," vertelde ze nu aan Noortje. „Koen is vanochtend vertrokken, die redde het niet langer zonder drank, zei hij zelf. Hij wilde me nog overhalen om hier een bacchanaal te houden, maar je kent de regels." Noortje knikte. Iedereen was hier welkom, maar alcohol en drugs kwamen het huis absoluut niet in. Ursula was daar zeer streng in en Noortje kon zich dan ook levendig voorstellen hoe het gesprek tussen haar en Koen verlopen was.

„Voor hem in de plaats is Pieter gekomen, een man van middelbare leeftijd die het leven niet meer zag zitten na het overlijden van zijn vrouw. Hij raakte aan de drank, werd ontslagen, betaalde zijn huur niet meer. Enfin, je weet hoe dat gaat. Onze tweede nieuwe gast is Marijke, een triest geval. Ze is net achttien geworden, dus ze valt niet meer onder de jeugdzorg, maar dat kind heeft al meer meegemaakt dan een ander in zijn hele leven. Ze is overigens niet verslaafd, wel al twee jaar dakloos."

„En waar slaapt ze?" informeerde Noortje.

„In de voorraadkamer." Ursula maakte een verontschuldigend gebaar. „Ik kon het niet over mijn hart verkrijgen om haar in de grote zaal bij de anderen te leggen, ze is nog zo jong. Ze beschouwt dat hok trouwens als een paleis, dat kind is niets gewend. Wil jij zo met haar praten om te zien of je iets los kunt krijgen? Misschien is er ergens een adres waar ze terechtkan. Vaak weten familieleden niet eens waar iemand uithangt en willen ze wel helpen, maar kunnen ze het eenvoudig niet."

„Ik zal zien wat ik kan doen," beloofde Noortje terwijl ze opstond. „Nog meer?"

„Er ligt nog wat achterstallige administratie, kijk maar of je daar tijd voor hebt. Marijke gaat nu voor. Probeer haar mee te krijgen naar de huiskamer straks, dan stel ik je ook voor aan onze nieuwe hulp."

Noortje toog naar de voorraadkamer en begon aan haar zware taak. Marijke stelde zich zeer afwerend op, maar het lukte Noortje uiteindelijk om haar aan het praten te krijgen, al was de informatie die ze van Marijke loskreeg zeer summier. Het zou lang duren voor ze het vertrouwen van dit meisje gewonnen had, realiseerde Noortje zich. Als het al zou lukken. De ervaring had haar geleerd dat dergelijke jongeren zeer moeilijk te bereiken waren. Vaak waren ze op een dag ineens verdwenen en zagen ze zo iemand nooit meer terug. Het grootste probleem bij deze jongeren was dat ze nooit een normaal leven hadden geleid en niet in staat waren zich aan iemand te binden, simpelweg omdat ze dat niet geleerd hadden.

Noortje kon niet meer doen dan praten en een luisterend oor bieden bij het weinige dat Marijke haar vertelde, maar ze wist dat dat als eerste stap heel erg belangrijk was. Ze kreeg haar in ieder geval wel zo ver dat ze aan het eind van de avond meeging naar de huiskamer, die voor iedere dakloze toegankelijk was. Bij slecht weer, zoals nu, zat het er altijd vol met mensen die de straat een paar uur wilden verruilen voor wat warmte en een kop thee of koffie. Ook deze avond was de grote ruimte druk bevolkt. Ursula was samen met twee andere medewerkers hard bezig met het volschenken van de bekers. Zodra ze Noortje zag binnenkomen, wenkte ze haar.

„Hoe ging het?" vroeg ze direct.

„Moeizaam. Veel kreeg ik er niet uit, maar het is wel duidelijk dat ze heel wat ellende heeft meegemaakt," vertelde Noortje.

„Arm kind. Enfin, zo hebben we er zoveel." Ursula haalde haar schouders op. Het was geen onverschillig, maar een berustend gebaar. Ursula had zich er allang bij neergelegd dat ze niet al het leed van haar bewoners op kon lossen, al deed ze wat ze kon. „Ik zal je even voorstellen aan onze nieuwe medewerker," veranderde ze van onderwerp. „Een vrij jonge man nog, iemand die zelf het nodige op zijn bord heeft gekregen en van aanpakken weet. Waar is hij nou?" Zoekend gleden haar ogen door de volle ruimte, tot ze hem achter Noortje aan zag komen lopen. „O, daar is hij al. Frits, kom even."

Noortje draaide zich om, haar adem stokte bij het zien van de man die achter haar stond.

„Frits!" fluisterde ze hees.

„Noortje?"

Zijn stem leek van heel ver te komen. Alles werd zwart

voor Noortjes ogen. Ze wankelde en plotseling waren zijn armen om haar heen. Het voelde vertrouwd en veilig aan. Even vergat ze waar ze was. Met een liefdevol gebaar drukte ze haar gezicht tegen zijn borst, tot Ursula's stem haar terugbracht tot de werkelijkheid.

„Hé, blijf staan Noor. Gaat het weer een beetje? Kom, dan gaan we naar het kantoortje, weg uit de drukte."

Ondersteund door Frits en Ursula, ondanks Noortjes protesten dat ze best zelf kon lopen, gingen ze het kantoor in. Frits sloot de zware deur achter hen en meteen viel er een weldadige stilte. Het geroezemoes van stemmen uit de huiskamer was hier niet hoorbaar.

„Jullie kennen elkaar?" Vragend keek Ursula van de één naar de ander.

Ze knikten allebei dociel. Noortje was niet in staat om een woord uit te brengen. Haar blik bleef strak op Frits gevestigd. Frits was hier! Ze durfde niet eens met haar ogen te knipperen uit angst dat zijn beeld dan zou verdwijnen.

Frits schraapte zijn keel. „We kennen elkaar zelfs heel erg goed," antwoordde hij op Ursula's vraag. Zijn stem klonk schor.

„Hm, ik denk dat het beter is als ik jullie even alleen laat," meende Ursula. „Niet gaan vechten, alsjeblieft. En mocht het voor jullie een probleem zijn om samen te werken, laat het me dan weten. In dat geval pas ik jullie roosters aan." Met die woorden trok ze de deur achter zich dicht, Frits en Noortje in het kantoor achterlatend.

„Niet echt subtiel," merkte Frits droog op.

„Dat is Ursula ten voeten uit. Diplomatie hoef je van haar niet te verwachten, ze is altijd recht voor zijn raap."

Noortje kwam weer wat tot zichzelf en realiseerde zich dat ze niet droomde, maar dat dit echt was. Ze zat echt met

Frits samen hier in deze kamer, een scenario dat ze zich vaak voorgesteld had, maar waarvan ze niet had verwacht dat het nog eens uit zou komen. Vanuit Ursula's bureaustoel keek ze naar hem op. Hij zag er niet al te best uit, oordeelde ze. Zijn ogen stonden dof en hij was magerder geworden. Van de vrolijke, zorgeloze en enigszins oppervlakkige Frits waar ze vroeger een relatie mee had gehad, was niet veel meer over.

"Hoe kom jij hier verzeild?" vroeg ze hem. "Ik vind vrijwilligerswerk helemaal niet bij jou passen. Je hebt mij nog eens verweten dat ik veel te idealistisch ben."

"Dat was vroeger," zei hij wrang. "Toen ik nog dacht de wijsheid in pacht te hebben en neerkeek op mensen die naar de afgrond waren gegleden. Allemaal eigen schuld, was mijn mening. Inmiddels weet ik beter."

"Is het je zo slecht vergaan sinds we elkaar voor het laatst gezien hebben?" vroeg Noortje zacht. Ze herkende dit soort cynisme, ze zag het vaker bij mensen die naar dit opvangtehuis kwamen voor hulp.

"Ach, slecht…" Frits trok even met zijn schouders. "Wat is slecht? Ik ben niet aan de drank of aan de drugs gegaan, als je dat bedoelt, maar veel scheelde het niet. Daarom heb ik me hier aangemeld als vrijwilliger, om te voorkomen dat het zover komt."

"Tegenwoordig is HIV toch heel goed te behandelen. De media brengen steeds nieuwe, positieve berichten naar buiten," zei Noortje voorzichtig.

"Maar die berichten zijn algemeenheden, je hoort niets over de mensen erachter," zei Frits. "Er zijn inderdaad prima medicijnen die het afweersysteem verbeteren, alleen slaan die bij mij niet aan. Iedere keer duiken mijn T cellen weer onder de tweehonderd, waardoor ik aan de antibiotica moet om longontsteking te voorkomen. Ik ben snel moe, heb last van huidirritaties, val af en heb regelmatig koorts. Ik zit op het randje, Noor. Nog niet ziek genoeg om eraan dood te gaan, maar wel te ziek om een normaal leven te leiden. Mijn baan ben ik kwijtgeraakt, mensen mijden me uit angst voor besmetting, sporten kan ik niet meer, noem maar op. Langzaamaan brokkelt alles onder mijn voeten vandaan. Contact met mijn familie heb ik bijna niet meer en mijn vrienden hebben het één voor één laten afweten. Ik word uitgekotst door de maatschappij, beschouwd als een parasiet die handenvol geld kost aan de gemeenschap. Heus, het gaat nog steeds zo. Al die zogenaamd positieve verhalen zijn zwaar overtrokken. Ik heb er tenminste nog niets van gemerkt dat de angst bij de bevolking afneemt of dat mensen die seropositief zijn niet gediscrimineerd mogen worden. Een levensverzekering afsluiten, een nieuwe baan vinden of een huis kopen zijn zaken die me onmogelijk worden gemaakt. Misschien begrijpelijk, maar keihard als je er zelf mee geconfronteerd wordt."

Hij zweeg, buiten adem van deze tirade. Fijne zweetdruppeltjes parelden op zijn voorhoofd. Noortje had verbijsterd naar zijn verhaal geluisterd.

„Ik wist niet dat het zo erg was." Ze stond op en liep naar hem toe. „Waarom heb je hier in je eentje mee geworsteld? Ik had naast je willen staan om je te helpen en te steunen."

„Dat is ook iets waar ik regelmatig spijt van had," gaf Frits moeizaam toe.

Zijn ogen zochten de hare. Noortje schrok van de moedeloze blik die erin lag. De kracht die deze ogen twee jaar geleden nog uitgestraald hadden, was verdwenen. Haar hart ging naar hem uit. Ook al was hij veranderd, dit was nog steeds Frits. De Frits waar ze van gehouden had en waar ze nog steeds van hield.

„Het is nog niet te laat," waagde ze te zeggen. „Het eerste gedeelte heb je alleen gedaan, maar de rest van de weg kunnen we samen afleggen."

„Je weet niet waar je aan begint," zei Frits bitter. „Ik ben niet meer dezelfde als vroeger, ik ben een wrak geworden. Geestelijk en lichamelijk."

„Jij bent Frits, de man die al jarenlang in mijn hart woont en weigert die plek te verlaten," zei Noortje eenvoudig.

Ze strekte haar handen naar hem uit en na enige aarzeling greep hij die in een verrassend stevige greep. Toen lag ze in zijn armen, net als vroeger en toch zo anders. Gelukkig, maar ook bang. Ze voelde hoe Frits zich aan haar vastklampte, niet alleen letterlijk, maar ook figuurlijk.

Een kort moment werd Noortje overvallen door twijfel, tot ze in zijn ogen keek. Het zou misschien niet makkelijk worden, maar Frits was het waard. Iedere seconde die ze met hem samen door mocht brengen was pure winst. Met een zucht van geluk gaf ze zich over aan zijn omhelzing.

HOOFDSTUK 3

„Het wordt toch niet te rood, hè?" Een beetje zenuwachtig keek Froukjes klant haar via de spiegel aan. „Ik vind het toch wel eng nu. Geverfd haar is vaak zo onnatuurlijk."

„Wees maar niet bang, het zal u vast prachtig staan. Ik heb geen verf gebruikt, maar een uitwasbare kleurshampoo, dus mocht het onverhoopt niet bevallen, dan is er niets aan de hand. Maar ik weet zeker dat dat niet het geval zal zijn."

„Ik hoop het."

Froukje zette de wekker voor de inwerktijd aan en knikte nog even hartelijk naar de vrouw die haar saaie, grijs wordende kapsel aan haar had toevertrouwd. Het was rustig deze morgen. Tanja, de tweede kapster van de kleine salon, was bezig bestellijsten in te vullen en Froukje besloot even bij Noortje te gaan buurten nu ze daar de kans voor had. Straks was er misschien wel weer een stormloop, dat wist je hier nooit.

Froukje had haar jongere zus die ochtend vluchtig gezien in het voorbij lopen, maar het was haar meteen opgevallen dat Noortje er anders uitzag. Stralender. Haar gewoonlijk enigszins bleke wangen hadden een lichte blos en haar ogen glansden. Alsof ze een prijs in de loterij had gewonnen, grinnikte Froukje in zichzelf terwijl ze via het gangetje, langs de winkel van Sjoerd en Anneke, naar de crèche liep waar Noortje de scepter zwaaide. Ze zat in het kleine kantoor die de crèches voor kinderen van personeelsleden scheidde van de opvang voor de jongste hotelgasten en keek op van haar administratie toen de deur openging.

„Vertellen," eiste Froukje zonder enige inleiding. „Wat is er met je aan de hand?"

31

„Waarom denk je dat er iets is?" vroeg Noortje geamuseerd.

„Omdat ik je ken." Froukje trok een stoel bij het bureau en ging tegenover haar zus zitten, met haar ellebogen op het bureaublad en haar gezicht in haar handen. „Ik ga hier niet weg voor ik het weet. En denk erom, ik heb een klant zitten waarbij de kleurshampoo momenteel intrekt, dus als haar haren worteltjesoranje worden, is het jouw schuld. Er is iets met je. Als ik niet beter wist, zou ik zeggen dat je verliefd bent."

„O ja? Schat jij jezelf dan zo dom in dat je denkt het niet beter te weten?" glimlachte Noortje.

Het duurde even voor Froukje begreep wat Noortje hiermee bedoelde. „Verliefd? Jij? Maar hoe kan dat nou? Gisteren beweerde je nog... Het is Frits," wist Froukje ineens. „Heb je hem weer ontmoet?"

Noortje knikte, haar ogen straalden. „Ja, gisteravond. Hij werkt sinds een paar dagen ook in het opvangtehuis als vrijwilliger."

„En toen hij je weer zag, sloeg de bliksem plotseling weer in en bekende hij dat hij nog steeds van je houdt?"

„Zo ongeveer wel, ja. We hebben elkaar nooit kunnen vergeten, dat werd wel duidelijk," legde Noortje simpel uit.

„Dus nu is het weer helemaal in orde tussen jullie?"

„Zo eenvoudig is dat natuurlijk niet, maar er is in ieder geval weer een begin. We houden nog steeds van elkaar, dat is een feit wat niet te negeren valt. Dus ja, eigenlijk is het wel in orde, want de liefde is tenslotte het belangrijkste. De rest komt vanzelf wel."

„Ook in jullie situatie?" vroeg Froukje zich af. „Begrijp me niet verkeerd, ik ben natuurlijk blij voor je, maar bij jullie is het niet zo eenvoudig als bij de meeste andere mensen.

Frits is ziek, Noor. Hij is een levende tijdbom."
„Fijn dat je me daar even aan helpt herinneren," zei Noortje ironisch.

„Ik weet dat het hard klinkt, maar het is wel de realiteit. Besef je wel waar je aan begint?"

„Nee," antwoordde Noortje eerlijk. „Ik heb geen flauw idee wat me te wachten staat of waar we nog tegenaan zullen lopen, maar dat vind ik geen reden om er niet aan te beginnen. Daar hebben we het trouwens pas nog over gehad. Het enige wat ik weet is dat ik zonder Frits ook niet gelukkig was. Natuurlijk zullen we het zwaar krijgen, alleen heb ik het liever zwaar met zijn tweeën dan in mijn eentje."

Dat was een argument waar Froukje niets tegenin wist te brengen. „Goh," zei ze dan ook alleen.

Noortje schoot in de lach. „Wat heb je weer een heerlijk zinnig commentaar."

„Wat wil je dan dat ik zeg? Je weet zelf ook wel dat het niet alleen rozengeur en maneschijn is, dat hoef ik je niet te vertellen. Als jij desondanks gelukkig bent, heb ik er vrede mee. Hoewel het natuurlijk niet eerlijk is," ontdekte Froukje. „We hadden een pact gesloten, weet je nog? We zouden als twee oude vrijsters door het leven gaan en wat doe jij? Ik verlies je één avond uit het oog en je slaat een man aan de haak."

„Het spijt me, maar ik vind Frits toch aantrekkelijker dan jou," zei Noortje deemoedig, maar met een lach in haar stem. „Jij hebt overigens altijd Leen nog om je te troosten."

„Nee, dank je. Het betreden van het liefdespad laat ik graag aan jou over," weerde Froukje af. Ze keek haar zus onderzoekend aan. „Ben je echt gelukkig, Noor?"

Even bleef het stil, toen knikte Noortje langzaam. „Ja, maar het is geluk met een zwart randje. Het gaat niet goed met Frits en..." Ze stokte en beet op haar lip. Moest ze dit wel zeggen? Als gedachten uitgesproken werden, waren ze meteen zo reëel. Ze keek in Froukjes afwachtende ogen en wist dat ze haar zorgen met haar kon delen. Froukje zou haar begrijpen. „Juist omdat het slecht met hem gaat, zijn wij weer samen," zei ze dan ook. „Vroeger wilde hij mij niet opzadelen met de problemen die zijn ziekte met zich mee- brengt, hij wilde het alleen doen, maar daar mist hij nu de kracht voor. Wij zijn weer bij elkaar omdat hij me nodig heeft."

„Maar hij heeft je nodig omdat hij van je houdt," zei Froukje zacht. „Jij bent niet zomaar iemand voor hem, juist jouw liefde kan hem de kracht geven tegen zijn ziekte te vechten."

„Zou je denken?"

„Je bent hem niet voor niets weer tegengekomen, dat heeft een reden. Door jou heeft Frits nu een reden om te blijven leven." Froukje stond op. „Sorry, ik moet echt gaan, anders is mijn klant straks kaal. Hou je haaks, meid. En eh…. gefe- liciteerd."

Diep in gedachten snelde Froukje terug naar haar eigen werkplek, waar ze haar klant afhielp, die even later dolge- lukkig met haar nieuwe kapsel de salon verliet.

Het bleef rustig die dag, dus Froukje had alle gelegenheid om haar gedachten de vrije loop te geven. Het liet haar niet los. Noortje en Frits, alweer een gelukkig stel in de familie. Van het hele gezin Nieuwkerk was zij, Froukje, nu nog de enige die vrijgezel was. Was er voor haar dan geen geluk meer weggelegd? Haar laatste relatie was alweer een hele tijd geleden. Om precies te zijn twee jaar, bij de eerste plannen om een hotel op te zetten. Tony, de man waar ze toen mee samenwoonde, had haar plannen kortaf als onzinnig bestempeld. Geld was er om van te genieten en om over de balk te smijten, niet om jezelf een hoop werk op de hals te halen, was zijn mening. Froukje was er inmiddels wel achter dat Tony alleen vanwege haar geld bij haar ingetrokken was en had de relatie resoluut beëindigd. Spijt had ze daar niet van, maar ze miste wel iemand die er exclusief voor haar was. Iemand die haar de belangrijkste persoon ter wereld vond, een man die af en toe voor haar kon zorgen, een gesprekspartner in haar grote, lege huis.

Nog even, dan was het kerstmis. Froukje was er nog niet uit of zij thuis een kerstboom neer zou zetten, maar zo wel, dan zou ze er alleen bij zitten. Die gedachte stemde haar triest. Het hotel moest tijdens de feestdagen natuurlijk gewoon doordraaien, maar het gezin Nieuwkerk had unaniem besloten de tweede kerstdag voor henzelf te houden en die samen door te brengen in de villa van Marga en Barend. Eerste kerstdag werkten ze allemaal, zodat een groot deel van het personeel vrij kon nemen.

Tegen het werken zag Froukje niet op, al was haar salon die dag gesloten en zou ze meewerken in de bediening. Het was juist die tweede kerstdag die haar nu ineens benauwde. Ze zag het al voor zich, met zijn allen rond de boom. Marga en Barend, Sjoerd en Anneke met hun tweeling, Lieke en David, Noortje en Frits, misschien ook Joop en Gerda erbij. En dan zij, Froukje, als enige zonder partner, als een lastig, zielig aanhangsel van een gelukkig stel mensen. Dat vooruitzicht benauwde haar. Tot die ochtend had ze zichzelf niet als een uitzondering beschouwd, maar nu Noortje haar Frits teruggevonden had, lagen de zaken anders. Froukje had zich nog nooit zo eenzaam gevoeld.

„Ik ga naar huis, het is mijn tijd," zei Tanja, haar cheffin daarmee uit haar gedachten halend.

Froukje schrok op. „Is het al zo laat?" vroeg ze verward.

Tanja knikte en zwaaide ten afscheid. „Tot morgen."

„Tot morgen," groette Froukje automatisch terug.

Doelloos verschoof ze wat spullen, ze keek in de agenda of er afspraken voor de volgende dag waren en vouwde volkomen onnodig een stapel handdoeken opnieuw op. Ze had geen zin om naar huis te gaan, waar toch niemand op haar wachtte. Natuurlijk kon ze naar haar ouders, haar broer of één van haar zussen gaan, maar dat was nu juist wat ze niet wilde. Dan werd ze weer geconfronteerd met mensen die elkaar liefhadden. Froukje overwoog net of ze haar avondmaaltijd in de eetzaal van het hotel zou nuttigen, iets wat ze wel vaker deed, toen Leen zijn hoofd om de deur van de kapsalon stak.

„O, je bent er nog," merkte hij op. „Ik zag licht branden en aangezien het al zo laat is, dacht ik dat je het vergeten was uit te doen."

„Nee, het was druk, dus ben ik wat langer gebleven," loog Froukje. Ze pakte haar tas en trok haar jas aan. „Maar nu ga ik echt."

„Je zult inmiddels wel honger hebben." Leen deed een stap opzij zodat Froukje de deur af kon sluiten en keek haar aarzelend aan. „Zullen we… Ik bedoel, ik ben ook laat en heb ook wel trek. Zullen we soms samen ergens een hapje gaan eten?"

Het was een vraag die hij haar in de loop van het afgelopen jaar vaker had gesteld en altijd was Froukjes antwoord nee geweest. Dat verwachtte hij nu weer, maar tot zijn grote verrassing nam ze dit keer zijn uitnodiging aan.

Voor Froukje kwam zijn voorstel als de verhoring van een

gebed in haar huidige gemoedstoestand. Ze slaagde er echter in om nonchalant te zeggen: „Welja, als je dat gezellig vindt."

„Ik zou het zelfs heel erg gezellig vinden," antwoordde Leen oprecht.

Ze wist dat hij dat meende en het werd Froukje warm om het hart. Er was toch iemand die om haar gaf en die haar gezelschap op prijs stelde. Plotseling overmoedig stak ze haar arm door de zijne en trok hem mee door de verlaten gang.

„Waar wachten we dan nog op?" zei ze opgewekt.

„Ben je moe?" vroeg Barend. Hij zag nog net hoe Marga een geeuw onderdrukte en het viel hem op hoe bleek ze zag.

„Nogal, ja. Het was een drukke dag," antwoordde Marga. Loom leunde ze achterover in haar stoel. Ze zaten met zijn tweeën in de eetzaal voor het personeel, achter de grote, centrale keuken waar geroezemoes van stemmen en gerinkel van serviesgoed hoorbaar was. Op dit tijdstip van de dag was het altijd stil in de gezellige, ruime eetkamer die Marga zelf had ingericht. Ze was van mening dat het hardwerkende personeel recht had op een gezellig onderkomen om hun pauzes in door te brengen, in plaats van een kale ruimte. Nu was echter iedereen druk in de weer om de gasten van hun avondmaaltijd te voorzien en Marga en Barend benutten dat altijd om samen even op adem te komen voor ze naar huis gingen.

„Je zou eens naar een dokter moeten," zei Barend op bezorgde toon. „Je ziet er slecht uit."

„Dank je wel, dat is altijd prettig om te horen, zo opwekkend," reageerde Marga spottend.

„Maar ik meen het. We leiden een heel druk leven hier in

het hotel, misschien moet je gewoon wat rustiger aan gaan doen. We zijn tenslotte de jongsten niet meer."

„Ik ben blij dat je tenminste nog we zegt," zei Marga wrang. Ze negeerde de stekende pijn boven in haar rug en boog zich voorover om hem een zoen te geven. „Je moet je niet altijd zo snel ongerust maken. Natuurlijk is het druk, maar ik zou het niet anders willen. Ik geniet van ieder moment in ons eigen hotel."

„En om dat te blijven doen zou je beter eens naar een dokter kunnen gaan voor een algehele controle," merkte Barend op, maar Marga lachte hem uit.

„Die man ziet me aankomen. Ik mankeer niets, schat, behalve dan dat ik een beetje grieperig ben op het moment."

Ze verzweeg het loodzware gevoel in haar benen en de constante moeheid die haar kwelde. Marga was bang dat een medisch onderzoek inderdaad uit zou wijzen dat ze het rustiger aan moest doen en dat was iets wat ze absoluut niet wilde. De deur vanuit het magazijn werd geopend en Anneke kwam binnen. Ook zij zag er moe uit, zag Marga meteen.

„Over een dokter gesproken," zei ze dan ook, naar haar schoondochter wijzend. „Jij kunt er wel één gebruiken, zo te zien."

„Volgens mij ook, ja." Anneke ging zitten en steunde haar hoofd in haar handen, alsof het te zwaar was om rechtop te houden. „Ik voel me beroerd. Misselijk, moe, hoofdpijn. Er zit een stevige griep aan te komen, denk ik."

„Zie je nu wel, Anneke heeft het ook. Waarschijnlijk waart er een virusje rond of zo," zei Marga om zowel Barend als zichzelf gerust te stellen.

„Hm, fijn. Dan zitten we straks met een hotel vol zieke

mensen," bromde Barend terwijl hij opstond. „Kom, we gaan naar huis. Ik neem twee maaltijden uit de keuken mee en die warm ik thuis op terwijl jij lekker op de bank gaat zitten."

„Goh pa, dat jij weet hoe een magnetron werkt," zei Anneke quasi-bewonderend.

„Dat legt je moeder me wel uit," zei Barend tot hilariteit van de twee vrouwen.

„Wat doe jij hier eigenlijk?" vroeg Marga aan haar schoondochter. „Je werkt toch nooit zo laat?"

„Ik kom Sjoerd halen, we gaan met zijn tweeën lekker uit eten. Er is een oppas thuis voor de kinderen," vertelde Anneke.

„Dat is dan zeker ook besmettelijk," zei Barend. „Lieke en David gingen ook al naar een restaurant en daarnet hoorde ik dat Froukje en Leen samen ergens gaan eten."

„Froukje en Leen? Eindelijk, dat werd wel tijd. Ik ben benieuwd hoe dat verloopt." Anneke stond op. „Daar komt mijn echtgenoot, dus we gaan ervandoor. Prettige avond."

„Jullie ook," wensten Marga en Barend terug.

Gearmd slenterden Sjoerd en Anneke naar de parkeerplaats, waar ze in Sjoerds wagen stapten.

„Heerlijk, zo'n avond met zijn tweetjes," zei Sjoerd tevreden. Hij gaf haar snel een kus voor hij startte en de weg naar hun favoriete restaurant opreed.

Anneke leunde behaaglijk in de comfortabele kussens. Genietend sloot ze even haar ogen, in het heerlijke besef dat ze minstens twintig minuten zo kon blijven zitten voor ze hun bestemming bereikten. Een zalige manier om even bij te komen van de drukte van alledag. Langzaam sukkelde ze in slaap en ze werd pas wakker toen Sjoerd voor het bewuste restaurant parkeerde en zachtjes aan haar schouder schudde.

„Gaat het wel met je?" vroeg hij bezorgd.

„Jawel." Anneke glimlachte naar het vertrouwde gezicht wat zo dicht bij het hare was. „Ga je mee? Ik heb honger," ontdekte ze tot haar eigen verbazing. Ze had de hele dag nog geen trek in eten gehad, maar nu rammelde ze. Dan viel die griep nog wel mee, dacht ze optimistisch. Waarschijnlijk had ze het ergste al gehad.

Ze deden de maaltijd alle eer aan en genoten van elkaars gezelschap. Dankbaar bedacht Anneke hoe goed ze het tegenwoordig samen hadden. Hun huwelijk had een moeizame start gehad door de ongeplande komst van de tweeling en de financiële zorgen die hen boven het hoofd dreigden te groeien. Toen de geldprijs kwam dachten ze dat daarmee alle problemen opgelost waren, maar niets was minder waar gebleken. Ze groeiden uit elkaar, hadden te weinig om handen om een bevredigend bestaan op te bouwen en Sjoerd vluchtte in een verhouding met een andere vrouw. Het had heel veel strijd en moeite gekost om hun huwelijk in stand te houden, maar het was ze gelukt. Het hotel had daar een grote rol in gespeeld. Het gezamenlijke doel had hen dichter tot elkaar gebracht en sinds Anneke werkte voelde ze zich gelijkwaardiger aan haar echtgenoot. Ze vormden nu een team, zowel op zakelijk als op persoonlijk gebied. Ze waren volwassen geworden door de strijd die ze geleverd hadden.

„Waar denk je aan?" vroeg Sjoerd. Teder streelde hij haar hand en Anneke voelde verliefde kriebels in haar buik omhoog borrelen. Wat heerlijk dat dat na zoveel jaar samen nog mogelijk was!

„Ik ben gelukkig," zei ze simpel als antwoord. „Met jou,

onze kinderen, het werk, ons mooie huis. Ik geloof niet dat het leven ooit nog beter kan worden dan het nu is."
„Dat weet je nooit," meende Sjoerd. Hij wenkte de ober om af te rekenen. „Niemand kan in de toekomst kijken, we zullen moeten afwachten wat het leven verder in petto heeft. Misschien krijgen we nog wel een paar kinderen," fantaseerde hij.
„Zou je dat echt willen?" informeerde Anneke verbaasd. Dat was een onderwerp waar ze eigenlijk nooit over gesproken hadden. Vroeger was er geen geld voor geweest, daarna ontstond de verwijdering en vervolgens werden ze opgeslokt door het werk dat het hotel met zich meebracht.
„Ik wel. Jij niet dan?"
Anneke schudde langzaam haar hoofd. „Eerlijk gezegd moet ik er niet aan denken. Het loopt nu allemaal zo lekker. Een baby erbij zou alles in de war schoppen."
„Of nog meer vreugde brengen," zei Sjoerd.
Anneke gaf daar geen antwoord op, omdat de ober eraan kwam. Terwijl Sjoerd de rekening voldeed, werkten haar hersens op volle toeren. Een angstig vermoeden kwam bij haar op, iets waar ze nog niet eerder bij stil had gestaan. Die moeheid, die misselijkheid, de duizeling die haar vanochtend overvallen had. Ze zou toch niet...? Ach, welnee, die gedachte kwam nu alleen bij haar op omdat Sjoerd erover begonnen was. Ze had gewoon een griepje, anders niets, probeerde Anneke zichzelf gerust te stellen. Ze weigerde er verder aan te denken en lachte stralend naar Sjoerd toen hij haar in haar jas hielp. Hij fluisterde iets in haar oor en ze giechelde.
Geen van tweeën hadden ze in de gaten dat ze vanaf een ander tafeltje geamuseerd gade werden geslagen door Froukje en Leen.

„Die twee gaan zo in elkaar op dat ze helemaal geen oog meer hebben voor hun omgeving. Ze zien ons niet eens," mopperde Froukje goedmoedig.

„Dat is een teken dat ze gelukkig zijn," dacht Leen. Hij was allang blij dat ze niet opgemerkt waren door Froukjes broer en schoonzus. Nu het hem eindelijk gelukt was om haar te strikken voor een etentje, wilde hij haar ook graag voor zich alleen hebben.

„Heb je het naar je zin?" vroeg hij.

Froukje knikte hem stralend toe. „Boven verwachting."

„Zie je wel dat het helemaal niet zo'n opgave is om met mij uit te gaan," plaagde Leen haar bewust. „En dan te bedenken dat je daar al veel eerder achter had kunnen komen."

„De ontdekking komt misschien laat, maar hopelijk niet te laat." Plotseling serieus keek Froukje Leen diep in de ogen. „Ik meen het, Leen. Ik heb genoten vanavond en ik hoop dat we het snel nog een keer over doen."

„Niets liever dan dat." Hij pakte haar handen vast in een stevige greep. „Ik heb nooit onder stoelen of banken gestoken dat ik je leuk vind en je graag beter wilde leren kennen. Wat mij betreft is dit een wens die eindelijk uitkomt."

Hij lachte naar haar en Froukje voelde een plezierige rilling langs haar rug lopen. De avond die zo leeg en eenzaam voor haar had gelegen, was onverwachts een groot succes geworden. Leen bleek aangenaam gezelschap en een gezellige gesprekspartner. Het was nog niet één keer voorgekomen dat er een vervelende stilte was gevallen tussen hen of dat ze naar woorden had moeten zoeken en Froukje voelde zich wonderlijk op haar gemak bij Leen.

Ik geloof dat ik verliefd ben, constateerde ze verbaasd bij zichzelf. Eindelijk, na twee lange jaren alleen. En dan ook nog op iemand die ze al ruim een jaar kende en die ze altijd alleen als vriend had beschouwd. Ze vroeg zich niet af hoe dat mogelijk was, maar genoot van het gevoel dat bezit nam van haar lichaam.

HOOFDSTUK 4

Lieke's verrassingsdag voor Marga en Barend en hun vrienden Joop en Gerda werd een groot succes. De map met instructies die ze meekregen, voerden hen langs tal van plekken met gezamenlijke herinneringen en was doorspekt met anekdotes en kleine gedichtjes die lang vergeten gebeurtenissen weer terugbrachten in hun geheugen. Het etentje met daarna het bezoek aan de schouwburg voor een populaire musical, vormden het klapstuk.

Vooral Marga had van deze bijzondere dag genoten. Ze bleef zich maar moe en uitgeblust voelen en zo'n onverwachts uitstapje in plaats van een dag hard werken was dan ook precies wat ze nodig had. De volgende dag bedankte ze haar kinderen met tranen in haar ogen.

„Dus het was geslaagd," constateerde Lieke tevreden.

„Geslaagd? Het was fantastisch," zei Marga uit de grond van haar hart.

Ze schonk koffie in en deelde grote punten uit van de chocoladetaart die ze meegenomen had. Het hele gezin Nieuwkerk was er een uurtje tussenuit gebroken voor een gezellig samenzijn in de personeelseetkamer. Ongemerkt voor de anderen schoof Anneke met een gebaar vol walging haar gebaksbordje opzij. Chocoladetaart, dat was wel het laatste waar ze aan moest denken! Ook zij voelde zich nog steeds niet goed en haar vermoeden begon langzaam zekerheid te worden. Alle symptomen die ze had wezen op een zwangerschap, iets waar haar hele wezen zich tegen verzette. Ze had er nog met niemand over gesproken, zelfs niet met Sjoerd, maar ze begreep dat ze daar niet te lang meer mee kon wachten.

„En zijn de vriendschapsbanden nu weer aangehaald?"

informeerde Froukje. „Tenslotte was het daarom begonnen."

„Sterker nog, Gerda komt hier werken," vertelde Marga.

„Als hoofd van de technische dienst?" grinnikte Sjoerd die net een advertentie voor die vacature op het internet had gezet.

„Nee, als kokkin," dacht Noortje. Ze schoten allemaal in de lach, want Gerda's fantasie in de keuken reikte niet verder dan stamppot met een sudderlapje, dat was algemeen bekend.

„Ze komt mij helpen aan de receptie en neemt de leiding van de kamermeisjes en serveersters op zich," zei Marga. „Weliswaar parttime, maar het zal me toch enorm schelen."

„Als jullie dan maar niet de hele dag achter de balie gaan staan ginnegappen. Ik heb het nooit zo op vriendinnen die samenwerken," waarschuwde Leen quasi-serieus.

Als vriend van Froukje was hij helemaal in de familie geaccepteerd en als vanzelfsprekend was hij bij dit koffie-uurtje aanwezig. Iedereen ging er ook vanuit dat hij tweede kerstdag met Froukje mee zou komen, iets wat hij met graagte geaccepteerd had.

„Het is niks dat jij tegenwoordig bij de familie hoort, maar je wordt veel te brutaal," mopperde Marga, maar haar ogen lachten.

Tevreden keek ze naar de gezichten om zich heen. Wat vormden ze toch een fijn gezin, dacht ze dankbaar. Haar vier kinderen waren allemaal uitgegroeid tot leuke volwassenen en alle vier waren ze gelukkig met hun partners, waar het onderling ook goed mee klikte. Vaak hoorde je hele andere verhalen, over broers en zussen die elkaar het licht in de ogen niet gunden, schoonkinderen die het contact met de schoonouders afhielden, of meningsverschillen die uitmondden in ruzies die zo hoog opliepen dat ze niet meer bij te leggen waren. In hun gezin speelden dergelijke problemen gelukkig niet. David, Anneke, Frits en Leen waren met open armen in de familiekring ontvangen en vooral Frits koesterde zich daarin. Zijn cynische houding tegenover het leven liet hij varen zodra hij in hun gezelschap was. Marga mocht hem graag, dat was vroeger al zo geweest, alleen had ze in de gegeven omstandigheden liever een andere partner voor haar dochter gezien. Ze gunde Noortje onbezorgd geluk en dat leek met Frits' ziekte onmogelijk. Marga had het echter afgeleerd om eindeloos over dit soort zaken te tobben. Ze nam het leven zoals het kwam en probeerde er het beste van te maken. Het liep toch nooit zoals je het plande, dat had ze in haar leven wel geleerd.

Sjoerd hield Anneke aan haar arm tegen toen iedereen weer opstond om aan het werk te gaan, zodat ze samen in de eetkamer achterbleven.

„Voel je je nou weer niet goed?" vroeg hij bezorgd, wijzend naar haar onaangeroerde gebak. „Dat wordt te gek, An. Je loopt nu al een maand of twee te tobben, met iedere keer die vlagen dat je zo beroerd bent. Ik wil dat je naar een dokter gaat."

Anneke haalde diep adem. Nu moest ze het hem vertellen, ze kon niet blijven beweren dat ze een griepje onder de leden had. „Ik denk eerder dat ik een verloskundige nodig heb," zei ze dan ook.

Sjoerd keek haar ongelovig aan. „Bedoel je dat je in verwachting bent? Maar dat is fantastisch! Waarom heb je dat niet eerder gezegd?"

„Ik weet het nog niet zeker, het is een vermoeden," haastte Anneke zich te zeggen. „Maar alles wijst er wel op."

„Geweldig!" Onstuimig trok hij haar in zijn armen. „We gaan vanavond meteen een test doen, dan weten we het zeker. Wat zullen Damian en Charity dat leuk vinden, een broertje of een zusje erbij. Je weet hoe graag ze een hond willen, maar ik denk dat ze dit nog veel leuker vinden."

„Reken daar maar niet op," zei Anneke nuchter. „En als ik heel eerlijk ben, moet ik zeggen dat ik een hond ook een aantrekkelijker idee vind."

„Dat meen je niet." Onthutst liet Sjoerd zijn vrouw los, geschrokken deed hij een stap naar achteren. „Je maakt toch zeker een grapje?" vroeg hij hoopvol, maar Anneke schudde haar hoofd.

„Nee Sjoerd, ik wil geen kind meer. Alles loopt nu zo goed, zo soepel. De verzorging en opvoeding van Damian en Charity is prima te combineren met mijn werk hier, ons huwelijk gaat goed, mijn baan vind ik leuk, wij werken heel goed samen. Voor het eerst ben ik echt helemaal gelukkig en nu wordt dat weer in de war geschopt."

De tranen sprongen in haar ogen en Sjoerd wendde zijn blik af. Hij zag dat Anneke het meende en wist niet hoe hij daarmee om moest gaan. Een derde kind van Anneke en hem was al jaren een grote, stille wens van hem. Nu leek die wens uit te komen, maar ten koste van wat?

„Waarom denk je eigenlijk dat een baby ons leven in de war zal schoppen?" vroeg hij na een lange stilte. „We zijn jong, gezond, gelukkig met ons gezin en we hebben geen financiële zorgen meer, zoals toen we de tweeling verwachtten. Ik zie het probleem niet. Een kind erbij voegt volgens mij alleen maar wat toe."

„Zo kun jij het makkelijk bekijken, jij bent een man." Anneke's stem klonk opstandig. Wild veegde ze de traan die langs haar wang gleed weg.

„Wat heeft dat er nu mee te maken? Wil je soms beweren dat ik mijn verantwoordelijkheden als vader niet neem? Zorg ik soms nooit voor de kinderen, verwaarloos ik ze? Zeg het gerust, hou je maar niet in," zei Sjoerd bijtend.

„Zo bedoel ik het niet." Anneke keek hem hulpzoekend aan, maar hij ontweek die blik. Plotseling waren ze mijlenver van elkaar verwijderd, al was er slechts een meter ruimte tussen hen. „Voor een man is het heel normaal dat hij 's morgens de deur uitgaat en 's avonds pas terugkomt. Niemand zal verwachten dat jij je baan opgeeft om zelf voor je kind te zorgen."

„Dat verwacht ook niemand van jou. Verdraaid An, dit is de eenentwintigste eeuw. Bijna ieder kind gaat tegenwoordig naar een crèche of een gastgezin."

„Maar dat wil ik niet!" schreeuwde ze. „Dat is nou juist het probleem, snap dat dan! Ik wil geen moeder zijn die de zorg voor haar baby overlaat aan anderen, maar ik wil ook mijn baan niet kwijt. Ik wil dat alles blijft zoals het nu is."

„Je zeurt," zei Sjoerd kortaf. „Heb je enig idee hoeveel vrouwen er tien jaar van hun leven voor over zouden hebben om in jouw plaats te staan? Je zou dolblij moeten zijn."

„Nou, het spijt me, maar dat ben ik dus niet. Deze zwangerschap zet alles op zijn kop. Waar ik ook voor zal kiezen, thuisblijven of blijven werken, het zal nooit mijn eigen volledige keus zijn, maar iets wat me opgedrongen wordt door de omstandigheden."

„Over een luxeprobleem gesproken," zei Sjoerd hatelijk. Hij balde zijn handen tot vuisten in zijn broekzakken. Als vijanden stonden ze tegenover elkaar, op een moment dat vervuld zou moeten zijn van geluk. Sjoerd zag zijn grote droom voor zijn ogen uiteen spatten. „Wat wil je dan? Een abortus?" Hij spuwde dat woord eruit, met alles wat in hem was hopend dat ze zou gaan lachen, haar armen om hem heen zou slaan en hem zou verzekeren dat ze geen woord meende van wat ze gezegd had, dat het door haar opspelende hormonen kwam.

Er gebeurde echter niets van dat alles. Anneke bleef onbeweeglijk staan, haar gezicht wit weggetrokken.

„Ik weet het niet," antwoordde ze zacht.

Alle grond leek onder Sjoerds voeten weg te zakken bij die gefluisterde woorden. Zijn wereld stond ineens op losse schroeven.

„Doe vooral wat je niet laten kunt," beet hij zijn vrouw toe. „Verwacht alleen niet van me dat ik je hand vasthoud als jij ons kindje vermoordt. Ik ga aan mijn werk."

Met grote passen beende hij de eetzaal uit, zijn gezicht stond strak.

Met een gevoel of haar benen van stopverf waren, liet Anneke zich op een stoel zakken. Ze was te verbijsterd om te huilen. Dit was het dan. In slechts enkele minuten tijd was al het goede tussen haar en Sjoerd verdwenen, weggevaagd alsof het nooit had bestaan. Ze huiverde bij de herinnering aan de blik die hij haar toegeworpen had. Ze had van tevoren geweten dat hij niet gelukkig zou zijn met haar twijfels, maar ze had wel steun en begrip verwacht. Een beetje medeleven, bemoedigende woorden, de verzekering dat alles heus wel goed zou komen. Nou, dat laatste kon ze nu wel vergeten. Wat ze ook zou doen, waar ze ook voor zou kiezen, deze baby had nu al alles veranderd.

Kwaad en verdrietig tegelijk sloeg Anneke met haar vuist op tafel. Wat moest ze doen? De baby laten komen zou ten koste gaan van het leven dat ze nu leidde en waar ze gelukkig mee was, maar een abortus was het einde van haar huwelijk. Dat was in ieder geval duidelijk.

„Hè, hè, ik ben blij dat het tijd is." Met een zucht van verlichting sloot Froukje de deur van haar kapsalon en samen met Noortje liep ze naar de lobby van het hotel, waar ze met Leen had afgesproken. „Het was een gekkenhuis vandaag, ik geloof dat ik iedere vrouwelijke gast bij me heb gehad."

„Je overdrijft weer enorm, zoals gewoonlijk," lachte Noortje.

„Nou, veel kan het nooit schelen, het was echt enorm druk. Op dit soort dagen ben ik altijd heel blij dat we gewoon hier kunnen eten. Koken is mijn sterkste kant al niet, maar als ik zo moe ben komt er helemaal niets van terecht."

„Ja, we zijn verwend op dat gebied," beaamde Noortje. Zelf maakte ze ook regelmatig gebruik van de mogelijkheid het diner in het hotel te gebruiken, zeker als ze dienst had in het opvanghuis.

„O, Leen is er nog niet," zag Froukje. „Ik hoop dat hij opschiet, want ik heb honger."

„Dan begin je toch vast."

„Zonder hem smaakt het me niet," zei Froukje serieus, maar met een lach in haar ogen.

„Ik zei het al, je kunt goed overdrijven," knikte Noortje. Ze gaf haar zus een vriendschappelijke por. „Je bent anders ineens wel gek op hem, hè?"

Froukje knikte met stralende ogen. „Ja, dat is ingeslagen als de bliksem. Ik begrijp nu ook niet meer waarom ik niet eerder op zijn toenaderingspogingen ben ingegaan. Leen is alles wat je als vrouw kunt wensen. Lief, attent, hij heeft gevoel voor humor en hij ziet er nog leuk uit ook."

„Dank je wel, dat hoor ik graag," klonk de stem van Leen goedkeurend achter hen. Hij keek ze breed lachend aan. Froukje vloog hem om zijn hals. „Wat een mazzel dat ik net je goede eigenschappen opsomde in plaats van je slechte," grinnikte ze.

„Die heb ik niet," meende Leen verwaand. „Ga je mee, schat? Wat doe jij, Noor, eet je met ons mee?"

„Nee, Frits komt me halen voor een strandwandeling, we eten wat op de boulevard."

„Tot morgen dan, veel plezier."

Met gemengde gevoelens staarde Noortje het stel na toen ze met de armen om elkaar heen geslagen naar de eetzaal liepen. Ze zagen er zo gelukkig en onbezorgd uit samen. Voor die twee was de wereld op dit moment verpakt in roze wolken met gouden glitters, dacht ze sentimenteel. Geen vuiltje aan de lucht. Ze gunde het haar zus, maar had het voor zichzelf ook graag zo gezien. Haar toekomst met Frits was onzeker, dat wist ze heel goed. Zijn gezondheid belette hen om net zo onbezorgd gelukkig te zijn als Froukje en Leen, hoezeer Noortje er ook haar best voor deed.

Het was moeilijker dan ze verwacht had. Frits was vaak somber en depressief, momenten waarop ze niet tot hem door kon dringen. Bovendien was zijn gedrag onvoorspelbaar. De ene dag klampte hij zich aan haar vast, om haar vervolgens een dag later buiten te sluiten. Ze wist nooit waar ze aan toe was en dat maakte haar vaak onzeker en moedeloos. Het was altijd afwachten in wat voor stemming hij was.

Vandaag leek dat in ieder geval mee te vallen, constateerde Noortje blij toen ze hem door de glazen deuren aan zag komen lopen. Hij oogde ontspannen en zelfverzekerd in die lichtgrijze broek met witte trui en leren jasje. Niemand die hem zo zag zou vermoeden dat er een tijdbom in dat lichaam zat, een tijdbom die ieder moment tot ontploffing kon komen, al was hij bijzonder mager. Zijn goedgekozen kleding kon dat niet helemaal camoufleren.

Net toen ze haar gezicht naar hem ophief voor een kus, begon haar mobiele telefoon te rinkelen. Ursula, zag ze op het schermpje. Als ze haar maar niet nodig had die avond, hoopte ze. Ze had even geen zin in de ellende van een ander.

„Wat is er?" vroeg Frits toen hij Noortjes gezichtsuitdrukking zag veranderen tijdens het gesprek.

„We moeten naar het ziekenhuis," zei ze gejaagd, haastig haar jas aantrekkend. „Dat was Ursula. Marijke heeft vanmiddag geprobeerd zelfmoord te plegen."

Drie kwartier later stonden ze zwijgend aan het voeteneind van Marijkes bed. Ze lag met een inwit gezicht en gesloten ogen in de kussens, de armen met de verbonden polsen als stille getuigen van wat er was gebeurd langs haar lichaam. Noortje werd misselijk als ze ernaar keek en zich probeerde voor te stellen hoe de huid er onder het verband uit moest zien. Hoe vreselijk moest iemand zich voelen om tot zo'n daad te komen? In de jaren dat ze meedraaide in de hulpverlening had ze al heel wat ellende gezien, maar dit pakte haar bijzonder aan. De dood leek bijna tastbaar aanwezig in de stille ziekenkamer. Noortje huiverde en voelde meteen de sterke greep van Frits' arm om haar schouder.

„Laten we maar gaan," stelde hij op zachte toon voor. „We kunnen op dit moment toch niets voor haar doen, ze slaapt."

„Maar als ze wakker wordt? Dan moet ze niet alleen zijn, Frits."

„Dat gebeurt voorlopig niet, volgens de dokter. Ze heeft een slaapmiddel gekregen. Ik beloof je dat ik morgenochtend weer naar haar toe ga. Misschien heeft ze behoefte om erover te praten."

„Wat gaat er nu met haar gebeuren?" vroeg Noortje terwijl ze door de lange gangen terugliepen naar de uitgang. „Ik weet het niet. Mogelijk wordt ze opgenomen in een psychiatrische kliniek of zo. Als ze wil tenminste, want ze is meerderjarig. Ik weet niet in hoeverre een gedwongen opname mogelijk is bij dit soort omstandigheden," antwoordde Frits bedachtzaam. „Het belangrijkste is in ieder geval dat ze zelf gaat inzien dat ze hulp nodig heeft, anders heeft het toch geen effect."

„Dat arme kind, ze is nog zo jong." Noortje rilde.

Eenmaal in de auto sloeg ze haar armen om haar eigen lichaam heen, als een klein kind dat troost en bescherming zoekt. Zonder iets te zeggen sloeg Frits de weg naar het strand in en nog steeds zwijgend liepen ze even later langs de vloedlijn, opboksend tegen de stevige wind. Op een gegeven moment gingen ze in een beschutte duinpan zitten, dicht tegen elkaar aan. Verdrietig staarde Noortje naar de enorme, maanbeschenen watervlakte die zich voor haar uitstrekte.

„Hoe heeft ze het kunnen doen?" vroeg ze opeens. „Ze weet toch dat wij er zijn om haar te helpen? Ze staat er niet alleen voor."

„Soms is die wetenschap niet genoeg." Afwezig speelden Frits' vingers met het zand op de grond. „Het leven kan zulke akelige verrassingen hebben dat er geen andere uitweg meer is. Marijke heeft heel wat ellende meegemaakt, meer dan wij kunnen bevatten."

„Maar zelfmoord... Dat is toch echt het allerlaatste. Ze is achttien, alles ligt nog voor haar."

„Denk je echt dat ze een normaal leven kan leiden na alle

traumatische ervaringen uit haar jeugd?" vroeg Frits rond-uit.

„Ze kan het toch op zijn minst proberen? Ik wilde haar helpen, dat weet ze." Noortjes stem klonk opstandig, maar Frits hoorde de ondertoon van verdriet.

„Waarschijnlijk vond ze het de moeite niet meer waard. Of ze was bang voor nieuwe teleurstellingen. De weg naar een ander, beter leven is ontzettend lang, Noortje. Je mag het Marijke niet kwalijk nemen als ze die weg niet op durft te gaan."

Met een ruk keerde Noortje haar gezicht naar Frits toe. „Dat klinkt alsof je haar begrijpt. Erger nog, het klinkt alsof je het ook goedkeurt," zei ze.

„Ik begrijp haar ook. En goedkeuren is een groot woord, maar ik respecteer het wel," zei Frits daarop. „Het was haar keus, haar beslissing."

„Dus eigenlijk vind je dat Ursula haar niet naar het ziekenhuis had moeten brengen, dat ze haar gewoon dood had moeten laten gaan? Neem me niet kwalijk, maar dat vind ik behoorlijk cru."

„Dat heb ik niet gezegd, al ben ik wel blij dat ik niet degene ben die haar zo gevonden heeft," bekende Frits. „Eerlijk gezegd weet ik niet wat ik gedaan zou hebben. Zoals ik net al zei, ik begrijp hoe ze ertoe gekomen is."

„Vind je dan niet dat ieder mens verplicht is om te proberen iets van zijn leven op aarde te maken? Te vechten voor een sprankje geluk?" vroeg Noortje zich hardop af.

„Welk geluk?" zei Frits echter cynisch. „Je weet niet hoe hard ze gevochten heeft. Op een gegeven moment is de strijd uitgestreden."

„Ik vind vluchten in zelfdoding een makkelijke oplossing."

„Makkelijk? Je weet niet wat je zegt!" schoot Frits uit. „Ik kan wel merken dat het echte leed tot nu toe aan jouw deur voorbij is gegaan. Wat Marijke gedaan heeft is niet zomaar iets. Voor je zover bent heb je echt alles geprobeerd, geloof me."

Noortje keek Frits verbijsterd aan. Iets in de klank van zijn stem had haar gealarmeerd. „Je hebt het over jezelf," zei ze schor.

Frits knikte stil. „Ja. Ik loop hier al heel lang mee rond. Op dit moment ben ik nog net niet ziek genoeg om de stap te zetten, maar als het zover is hoop ik dat je me niet veroordeelt."

„Je vraagt heel wat van me."

„Noortje, ik ben ziek. Op een gegeven moment slaat die ziekte zo hard toe dat er alleen nog een lijdensweg voor me ligt. Ik vind dat ik zelf mag bepalen wanneer het genoeg is geweest, zonder af te moeten wachten wanneer mijn hart het begeeft. Je moet realistisch blijven en niet alleen naar je gevoel luisteren."

„Dat vind ik nogal moeilijk als het gaat over de dood van mijn partner," zei Noortje bitter.

„Je wist van tevoren dat wij samen geen toekomst hebben."

„Waarom niet? Misschien duurt het nog jaren voor je lichaam het opgeeft en hebben ze in die tijd een medicijn gevonden dat je kan genezen. Je moet de hoop nooit opgeven, Frits."

Noortje had zijn armen vastgepakt en schudde hem heen en weer. Wanhoop straalde uit haar ogen.

„Het is geen kwestie van hoop hebben, liefste," sprak Frits zacht. Hij trok haar stevig tegen zich aan en Noortje klemde zich aan hem vast. Weemoedig staarde hij over haar hoofd heen naar de zee. „Natuurlijk heb ik hoop, maar tegelijkertijd voel ik aan mijn lichaam dat het niet lang meer zal duren. Het raakt op."

„Zo mag je niet praten. Ik hou te veel van je, ik wil je niet kwijt," snikte Noortje. Met betraande ogen keek ze naar hem op.

Heel teder streek hij over haar wang. „Het spijt me. Het spijt me meer dan ik je zeggen kan," zei hij geëmotioneerd. „Dat ik jou heb, is nog het enige wat me aan het leven bindt."

„Hou je dan aan mij vast. Niet alleen letterlijk, maar ook figuurlijk," zei Noortje dringend. „Probeer positief te denken."

„Ik geloof niet dat ik die kracht nog op kan brengen."

Noortje boog haar hoofd en leunde zwijgend tegen hem aan. Ze wist hoe ziek hij al was, maar haar gevoel weigerde dat te accepteren. Hier kon ze echter niets meer op zeggen. Ze kon hem niet dwingen te blijven leven, hoe graag ze dat ook zou willen. Frits had zijn besluit lang geleden al genomen, het was alleen nog een kwestie van tijd wanneer hij zijn plannen uit zou voeren. Tijd die ze zo goed mogelijk moesten besteden samen.

Ze hief haar gezicht naar hem op. „Kus me," fluisterde ze. „Niets liever dan dat," verzekerde Frits haar.

Zijn lippen beroerden de hare en Noortje sloeg haar armen om zijn nek. Een golf van verlangen en hartstocht sloeg door haar lichaam. Sinds ze elkaar weer teruggevonden hadden waren ze er nog niet aan toegekomen om het lichamelijke aspect van hun liefde te beleven, maar nu wilde Noortje dat niet langer uitstellen. De korte tijd die hen nog restte, was te kostbaar om niet te benutten. Ze verlangde intens naar hem.

„Jouw huis of mijn huis?" fluisterde ze in zijn oor.

Als reactie duwde Frits haar van zich af. Zijn ademhaling klonk zwaar. „Noortje, ik kan dit niet."

„Wat kun je niet?" Niet begrijpend keek ze hem aan.

Hij ontweek die blik en stond op. Met zijn rug naar haar toe zei hij: „Ik kan niet met je naar bed. Geloof me, ik zou niets liever willen, maar ik kán het niet. Het risico is te groot."

„Maar Frits..."

„Hou alsjeblieft op," onderbrak hij haar ruw. „Dit zul je moeten respecteren, maak het me alsjeblieft niet moeilijker dan het al is. Ik ben nog nooit zo blij geweest als op het moment toen ik hoorde dat jij niet besmet was, dat ik tenminste niet jouw dood op mijn geweten kreeg. Vraag me nu niet om dat risico alsnog te lopen. Ik hou te veel van je om je daaraan bloot te stellen."

„Maar ik verlang naar je."

„Hou op," verzocht hij voor de tweede keer. „Afgezien van het risico zou je er trouwens weinig plezier aan beleven. Ik ben te ziek, Noor, accepteer dat nou eens. Ik weet dat je daar niet aan wilt, maar ik ben nergens meer toe in staat. 's Morgens heb ik een uur nodig om bij te komen als ik me gewassen en aangekleed heb. Voor een avond als deze, samen met jou, lig ik de hele middag in bed, anders red ik het simpelweg niet. Na een dienst in het opvangtehuis ben ik gesloopt."

„Ik wist niet dat het zo erg was," zei Noortje.

„Nou, dat is het dus wel," pareerde hij hard. „Maar jij wilt het niet accepteren, je denkt dat het niet bestaat zolang er niet over gesproken wordt. Was het maar waar." Hij lachte even cynisch. „Ik zit al ruim in het vierde stadium van de ziekte, er is geen weg meer terug. Kijk hoe mager ik geworden ben. Om de haverklap heb ik koorts, mijn huid gaat overal kapot, ik heb overal ontstekingen." Hij zweeg en hapte even naar adem. Een droge snik welde op in zijn keel.

„Het spijt me," bracht Noortje uit.

Frits schudde zijn hoofd. „Nee, het spijt mij. Het spijt me dat ik niet meer voor je kan zijn dan een wrak. Kom, ik breng je naar huis."

Hij stak zijn hand naar haar uit en zwijgend liet Noortje zich omhoog helpen. Er viel niets meer te zeggen, dat wist ze. De koude wind die hen vol in het gezicht sloeg toen ze het strand weer betraden, deed de tranen in haar ogen springen. Ze maakte zichzelf tenminste wijs dat het van de wind kwam.

HOOFDSTUK 5

De volgende morgen, bij het ontwaken, stond alles meteen weer helder voor Noortjes geest. Tegen haar verwachting in was ze toch al snel in slaap gevallen zodra ze in bed lag, maar ze had verward gedroomd. Echt uitgerust voelde ze zich niet. Ondanks het feit dat de thermostaat van haar verwarming twintig graden aanwees, rilde ze. Wat een afschuwelijke avond was het geweest! Op het strand was ze door en door koud geworden en het leek wel of die kou nog niet uit haar botten verdwenen was. Ze voelde zich of ze nooit meer warm kon worden.

Automatisch verrichtte ze haar gebruikelijke ochtendbezigheden en uit gewoonte deed ze wat cruesli en melk in een schaaltje, maar hoewel ze sinds de vorige middag niets meer gegeten had, smaakte het haar niet. Ze vroeg zich af hoe het met Marijke zou gaan, maar vond het nog te vroeg om Ursula te bellen. Dat deed ze om half elf pas, in haar koffiepauze.

„Ze heeft een rustige nacht gehad en was redelijk aanspreekbaar," berichtte Ursula. „Ik kom net bij haar vandaan. Er is vanochtend al een psychiater bij haar geweest die met haar heeft gepraat. Marijke heeft toegestemd in een opname op de psychiatrische afdeling."

„Dat valt me mee. Wat gaat dat overigens snel, als er nu al een psychiater bij haar is geweest," verbaasde Noortje zich.

„Ja, in crisissituaties kan het ineens wel. Ik probeer dat kind al weken bij hem te krijgen, maar ze kwam onder aan de wachtlijst terecht. Nu kan hij plotseling wel tijd vrij maken, nu het bijna niet meer nodig was geweest." Ursula's stem klonk bitter. „Afijn, ze heeft nu hulp, al is dit een nogal drastische maatregel om aandacht van een dokter te krijgen."

„Heb je Frits nog gezien in het ziekenhuis?" vroeg Noortje haar.

„Nee, hoezo?"

„Hij zou vanochtend naar haar toe gaan. Gisteravond toen we bij haar waren, lag ze te slapen. Nou ja, ik bel hem wel. Tot vanavond."

Ze verbraken de verbinding. Noortje toetste meteen het telefoonnummer van Frits in, maar zowel op zijn huistelefoon als op zijn mobiel kreeg ze geen gehoor. Dan was hij nu waarschijnlijk naar Marijke toe, dacht ze. Ze had echter geen geduld om te wachten tot hij haar zou bellen, dus probeerde ze het ieder halfuur opnieuw, maar zonder resultaat.

Een angstig vermoeden begon de kop op te steken. Het gesprek van gisteravond wilde niet uit haar gedachten wijken. Frits zou toch niet…? Nee, dat zou hij niet doen, probeerde Noortje zichzelf gerust te stellen. Ook al was hij heel stellig geweest, hij zou geen onherroepelijke stappen nemen zonder dat eerst met haar te bespreken of zonder afscheid te nemen. Ze moest zich niet zo aanstellen en gewoon aan het werk gaan, hield Noortje zichzelf voor. Hoe luidde dat spreekwoord ook alweer? Een mens lijdt het meest door het lijden dat hij vreest, maar wat nooit op komt dagen.

Ze probeerde haar aandacht op de kinderen in de crèche te richten, maar dat lukte niet. Ze bleef zich rusteloos en bibberig voelen. Met het excuus dat ze de administratie moest doen, trok ze zich terug in haar kantoortje, maar ook daar kwam ze tot niets anders dan doelloos voor zich uit staren en vruchteloos proberen Frits te bereiken. Toen die middag om half drie de deur van haar kantoor openging en Ursula met een bleek gezicht naar binnen kwam, wist Noortje al wat er aan de hand was nog voor er iets gezegd werd. Dit was het, hier had ze onbewust de hele dag op gewacht. Even duizelde het haar, maar ze herstelde zich wonderlijk snel.

„Frits?" vroeg ze zacht.

Ursula knikte bijna onmerkbaar. „Het spijt me, Noortje."

Dus toch! Krachteloos liet Noortje zich in haar bureaustoel zakken, Ursula ging tegenover haar zitten.

„Was het...? Ik bedoel, heeft hij het zelf gedaan?" vroeg Noortje moeizaam.

Ursula keek haar bevreemd aan. „Welnee, hoe kom je daar nou bij? Hij is vannacht in zijn slaap overleden, heel rustig. Hij heeft er zelf niets van gemerkt, zijn hart is er gewoon mee gestopt."

„Echt waar?"

Noortje zuchtte diep, er viel een enorme last van haar schouders af. Het resultaat was dan wel hetzelfde, maar ze zou het een afschuwelijk idee hebben gevonden als Frits zichzelf iets had aangedaan, al had hij de avond daarvoor nog zo zijn best gedaan om daar begrip voor te kweken. Maar deze natuurlijke dood was voor Noortje beter te accepteren.

„Wie heeft hem gevonden?" vroeg ze.

„Ik," antwoordde Ursula. „Hij had me een sleutel van zijn huis gegeven, juist omdat hij wist dat iets dergelijks zou kunnen gebeuren. Omdat hij niet, zoals afgesproken, naar Marijke toeging en hij telefonisch niet te bereiken was, ben ik naar zijn huis gegaan. Hij lag op bed en eerst dacht ik dat hij nog sliep. Ik maakte nog een grapje over het feit dat hersens te veel verweken als je lang slaapt, terwijl ik aan hem schudde om hem wakker te maken en toen..." Ze stokte, maar Noortje kon zich levendig voorstellen hoe het gegaan was, daar was niet veel fantasie voor nodig.

„Wat vreselijk voor je," zei ze meelevend.

„Je moet alles een keer meemaken in het leven, maar dit was een ervaring die ik best had kunnen en willen missen," zei Ursula op de nuchtere toon die ze altijd gebruikte als ze het over emotionele zaken had.

Ze liet niet snel haar ware gevoelens zien, maar Noortje zag hoe het haar aangreep. Ze stond op, liep om het bureau heen en omhelsde Ursula zwijgend. Allebei konden ze hun tranen niet langer binnenhouden. Een kort klopje op de deur deed hen opschrikken.

„Binnen!" riep Noortje kort, zonder zich te realiseren dat Ursula en zij een vreemde aanblik vormden met hun behuilde gezichten.

Het was Leen die zijn hoofd om de deur stak. „Noortje, heb jij..." Hij zweeg abrupt bij het zien van de twee vrouwen. „Wat is er aan de hand?" Hij kwam nu helemaal naar binnen en sloot snel de deur achter hem, zich bewust van de nieuwsgierige blikken van de kinderleidsters die zich in de aangrenzende crèche bevonden.

„Frits is dood," vertelde Ursula, omdat Noortje niet bij machte leek om iets te zeggen.

„Ach lieverd, wat erg," reageerde Leen spontaan. Hij pakte Noortje vast en trok haar tegen zich aan. Tegen zijn schouder huilde Noortje alsof ze er nooit meer mee op kon houden.

Het bericht van Frits' overlijden verspreidde zich als een lopend vuurtje onder de medewerkers van het hotel en sloeg in als een bom. Ook al wist iedereen dat Frits ernstig ziek was, zo'n snel einde had niemand verwacht.

„Hij was veel zieker dan hij toe wilde geven," vertelde Ursula die avond echter. Ze zat met de hele familie Nieuwkerk in Noortjes flat, inclusief Leen en David. Zelfs Lieke had haar afspraken afgezegd en was gekomen om haar zus te steunen. „Ik kende hem bijna een jaar en heb hem in die tijd hard achteruit zien gaan. Hij wist het zelf ook, had zich er ook bij neergelegd dat hij niet lang meer te leven had, maar toch deed hij naar de buitenwereld altijd alsof hij nog alles kon."

„Zoals werken in jullie opvanghuis," begreep Marga.

Ursula knikte. „Ik heb geprobeerd hem daarvan te weerhouden, maar hij hield stug vol dat hij het aankon. Als hij dienst had gehad, was hij echter helemaal kapot."

„Dat vertelde hij me gisteravond," zei Noortje opeens. Het was het eerste wat ze die avond zei, tot nu toe had ze stil en bleek tussen haar meelevende familieleden ingezeten.

„Hij was op, hij kon niet meer, dat probeerde hij me duidelijk te maken, maar ik dacht dat het wel meeviel. Ik heb zelfs nog tegen hem gezegd dat hij wat positiever moest denken."

Weer rolden de tranen over haar wangen, zoals iedere keer als ze aan dat laatste gesprek terugdacht. Haar familie zat er bedrukt en verslagen bij, het was Leen die zich naar Noortje toeboog en haar hand pakte.

„Ga jezelf daar nou geen verwijten over maken," zei hij dringend. „Frits wilde iedereen laten geloven dat hij het nog wel redde, zoals Ursula net zei. Het is jouw schuld niet dat je niet doorhad hoe het echt met hem gesteld was. Het is niet zo dat je bewust zijn gezondheidsklachten bagatelliseerde."

„Ik was degene die het dichts bij hem stond, ik had het moeten zien."

„Onzin," verklaarde Leen kort en bondig. „Je kon niet bij hem naar binnen kijken en je kon evenmin zijn gedachten lezen. Als Frits had gewild dat jij precies moest weten hoe het met hem gesteld was, had hij het je wel verteld, maar dat deed hij niet. Tot gisteravond toe dan, blijkbaar."

„Ja, gisteren was hij voor het eerst echt open," gaf Noortje toe. „Had ik het maar eerder geweten, dan had ik hem kunnen helpen."

„Nee, juist niet." Leens stem klonk warm. „Je hebt hem nu geholpen omdat je hem niet als patiënt behandelde, iets wat je waarschijnlijk wel had gedaan als je de waarheid geweten had. Dankzij jou heeft Frits de laatste maanden van zijn leven toch nog echt geluk gekend. Jij was zijn stimulans om het niet meteen op te geven."

„Denk je dat echt?" Noortje sloeg haar betraande ogen hoopvol naar hem op.

„Ik weet het zeker," verzekerde Leen haar terwijl hij bemoedigend in haar hand kneep. „Jij nam hem zoals hij was, terwijl de rest van de maatschappij hem al af had geschreven op het moment dat zijn ziekte bekend werd. Frits heeft me wel eens verteld dat hij vaak behandeld werd als uitschot, maar bij jou voelde hij zich een gewone man."

Iedereen luisterde stil naar het gesprek tussen Noortje en Leen, niemand bemoeide zich ermee. Met een warm, trots gevoel keek Froukje naar haar vriend. Haar hart ging naar hem uit bij de manier waarop hij Noortje troostte en bemoedigde. Zelf voelde ze zich heel onzeker en machteloos, maar Leen leek daar geen last van te hebben. Hij wist precies de goede woorden te vinden. Al kon hij haar verdriet niet wegnemen, dat kon niemand, hij wist Noortje in ieder geval wel te steunen. Haar Leen, een man uit duizenden, een rots in de branding, dacht ze trots. Ze had nog nooit zoveel van hem gehouden als op dat moment. Anneke en Sjoerd waren de eersten die opstapten. Ze hadden allebei de hele avond niet veel gezegd, maar dat was niemand echt opgevallen. Ook op weg naar huis spraken ze niet. Er hing al dagenlang een ijzig stilzwijgen tussen hen, iets waar Anneke langzamerhand wanhopig van werd. Ze wist nog steeds niet wat ze moest doen en Sjoerds kille, vijandige houding maakte het nemen van een beslissing niet makkelijker.

„Hoe lang ga je hier nog mee door?" viel ze onverwachts uit op het moment dat Sjoerd hun auto de garage inreed.

„Wat bedoel je?" vroeg hij uiterlijk ongeïnteresseerd. „Wat doe ik dan?"

„Dit! Dat kille gedrag van je, die houding alsof je ver boven me verheven bent. Alsof ik één of ander monster ben!" schreeuwde Anneke over haar toeren. „Ik hou dit niet vol, Sjoerd. Ik weet dat jij je net zo beroerd voelt als ik en dat ik je teleurgesteld heb, maar praat tenminste tegen me."

„Waarom zou ik?" zei Sjoerd schouderophalend.

Hij maakte een gebaar alsof hij uit de auto wilde stappen, maar bedacht zich en bleef zitten. Triest staarde hij door de voorruit naar de lichtblauw geschilderde muren van de garage. Dat was Anneke's idee geweest, herinnerde hij zich. Zij wilde hun nieuwe behuizing graag helemaal in lichte, vrolijke tinten hebben, zelfs de garage en de schuur. In zijn gemoedstoestand van de laatste dagen leken de muren hem nu uit te lachen.

„Het heeft geen nut om erover te praten, onze meningen

staan loodrecht tegenover elkaar. Een goed gesprek verandert daar niets aan."

„Dus doe je maar net alsof ik niet besta," reageerde Anneke bitter.

„Sorry hoor, maar ik ben niet in de stemming om gezellig over het weer of zo te babbelen," zei Sjoerd kort. „Er is maar één onderwerp wat me echt bezig houdt."

„Mij ook Sjoerd, maar dit is wel iets waar we samen uit moeten zien te komen."

„Kan dat dan? Wil je soms net zo lang tegen me aan praten tot ik het eens ben met een abortus?" vroeg hij spottend.

„Ik heb nog niets besloten," zei Anneke zacht.

„Alleen al het feit dat je eraan denkt vind ik schandalig!" viel hij ineens uit. „We zijn jong, gezond en hebben geld genoeg, er is geen enkele reden voor. Dat je niet direct staat te juichen kan ik me nog wel voorstellen, maar dit..." Hij hief met een machteloos gebaar zijn handen omhoog. „Dat jij als vrouw, als moeder, iets dergelijks alleen al kunt overwegen, dat valt me heel rauw op mijn dak. We praten hier over een kind, ons kind. Wat heeft ons gezinsleven nog voor waarde als jij er zo makkelijk over denkt? Zou je van Damian en Charity ook zomaar afstand kunnen doen?"

„Dat is heel iets anders," verweerde Anneke zich.

„Nou, voor mij niet," zei Sjoerd met een strak gezicht.

„Jij bent anders de eerste geweest die het woord abortus in de mond heeft genomen," verweet Anneke hem nu. „Ik was niet blij met deze zwangerschap, dat geef ik onmiddellijk toe, maar jouw houding heeft die aversie alleen nog maar groter gemaakt. Je blies onmiddellijk zo hoog van de toren dat ik amper de kans kreeg om mijn gevoelens met je te bespreken. Een beetje steun, dat had je me moeten geven."

„O, dus nu is het mijn schuld? Dat is lekker makkelijk, zeg!

Is dit je nieuwste manier om je eigen geweten te ontlasten?"

„Dat bedoel ik niet. Waarom luister je niet gewoon naar wat ik zeg?" reageerde Anneke kribbig en ongeduldig. „Je verdraait mijn woorden. Kun je nou werkelijk niet een beetje begrip opbrengen voor het feit dat ik niet dolgelukkig ben omdat mijn hele leven ineens op zijn kop staat?"

„Ik vind dat je dat zwaar overdrijft," hield Sjoerd koppig vol. „Er zullen wat dingen veranderen, ja, maar dat is niet het einde van de wereld. Samen kunnen we echt wel tot een compromis komen, ook wat betreft je werk. Je hoeft niet per se te kiezen tussen fulltime thuis zitten of iedere dag werken. Er bestaat ook nog zoiets als een gulden middenweg, bijvoorbeeld twee dagen per week werken of alleen in geval van ziekte of vakantie van het andere personeel. Opvang is geen probleem, wat dat betreft zitten we in een zeer luxe positie. We kunnen alles precies zo regelen als we willen, zonder belemmeringen."

Anneke had stil naar hem geluisterd. Natuurlijk had hij gelijk, dat wist ze zelf ook wel.

„Als je direct op deze manier had gereageerd, had het niet zo hoog op hoeven lopen, maar je begon me meteen verwijten te maken en te schreeuwen."

„Ik was teleurgesteld omdat jij niet blij was," bekende Sjoerd. „Mijn wens kwam uit, maar jij stond meteen op het punt het weer te vernietigen."

„Dat is niet helemaal waar. Ik piekerde over hoe alles nu moest, toen jij ineens over een abortus begon. Op dat moment leek dat heel even een simpele oplossing, een manier om ons leven gewoon bij het oude te houden. Echt serieus heb ik het nooit overwogen."

„Echt niet?" Onderzoekend keek Sjoerd haar bij het schemerige licht aan.

„Echt niet," verzekerde Anneke hem niet geheel naar waarheid.

De gedachte aan abortus was wel degelijk verschillende keren bij haar opgekomen, zeker de laatste dagen. Als het tussen haar en Sjoerd tot een definitieve breuk was gekomen, had ze het kind zeker niet willen houden. Het leek haar echter verstandiger om hem dat niet te vertellen.

„Dus we gaan ervoor?" vroeg Sjoerd nog voor de zekerheid.

Anneke knikte. „Als jij me helpt," zei ze snel. „Je kent mijn mening over kinderopvang. Misschien kun jij ook minder gaan werken, zodat er altijd iemand van ons thuis is. Zeker het eerste jaar vind ik dat heel erg belangrijk."

„Natuurlijk, dat is altijd te regelen," beloofde Sjoerd haar. „Zoals ik net al zei, we kunnen het doen zoals we zelf willen. Dankzij onze bankrekening hebben we niet die praktische problemen die andere stellen in deze situatie hebben. We zijn bevoorrechte mensen, An."

Ze kusten elkaar, maar voor Anneke voelde het toch niet hetzelfde als een week geleden. Sjoerds heftige reactie op haar twijfels en het totale voorbijzien aan haar gevoelens hadden een barst gemaakt in haar geluk. Nu was hij ineens meneer begrip himself, maar Anneke kon zich niet aan de indruk onttrekken dat dat kwam omdat zij bakzeil had gehaald. Ze voelde zich verliezer in dit conflict. Niet omdat ze het kindje zou houden, maar omdat Sjoerd pas begrip voor haar kon opbrengen nu ze die beslissing genomen had, terwijl zijn inlevingsvermogen daarvoor ver te zoeken was.

Het gaf een nare, bittere bijsmaak aan zijn zoen.

Lieke en David vertrokken lopend vanuit Noortjes flat naar hun eigen appartement, een wandeling van tien minuten. Ze hadden hun armen stevig om elkaar heen geslagen en slenterden rustig door de donkere, stille straten.

„Bah, wat een ellende," zei Lieke verdrietig. „Noortje heeft altijd van Frits gehouden en ze was zo gelukkig toen ze hem terug had. En nu dit." Ze rilde, hoewel de temperatuur buiten niet echt koud was.

„Misschien is het beter zo," zei David kalm en bedachtzaam.

„Hoe kun je dat nou zeggen?" Lieke trok haar arm los en keek haar echtgenoot verwijtend aan. „Bah David, wat een rotopmerking."

„Frits was ernstig ziek, schat. Stel dat hij nog twee jaar geleefd had, dan hadden ze twee jaar lang het onherroepelijk afscheid voor ogen gehad."

„Maar dan hadden ze ook twee jaar langer gelukkig met elkaar kunnen zijn."

„Dat betwijfel ik dus. Als je van tevoren weet dat je geluk zo kort duurt weet ik niet of je wel echt kunt genieten. Dit is natuurlijk keihard, maar op zich is het een relatief korte pijn," meende David.

„Kort?" Lieke lachte honend. „Jaren geleden hadden Noortje en Frits een relatie die hij verbrak omdat hij zich nog niet wilde binden en daar is ze nooit helemaal overheen gekomen. Ze ontmoetten elkaar weer toen Frits haar kwam waarschuwen dat hij HIV positief was en toen sloeg de vonk opnieuw over, maar durfde hij geen relatie aan vanwege zijn ziekte. En nu gebeurt er dit. Voor Noortje is er nooit een andere man geweest dan Frits, dus een korte pijn zou ik het niet willen noemen."

„In ieder geval weet ze nu dat het definitief voorbij is," zei

69

David rationeel. „Ze hoeft niet meer te hopen, zoals ze jarenlang heeft gedaan en kan nu haar eigen leven weer oppakken."

„Ik vind dat jij er heel hard en makkelijk over denkt," verweet Lieke hem.

Ze waren inmiddels bij het appartementencomplex aangekomen en stapten in de lift. Lieke wendde zich van David af. Ze was teleurgesteld door zijn nuchtere reactie op Frits' overlijden. Iets meer medeleven met Noortje had ze toch wel verwacht, maar zelfs in dit soort zaken bleek David dus de harde zakenman die niet met gevoel, maar met verstand sprak.

„Wil je nog iets drinken?" vroeg David.

„Nee, ik ga naar bed," antwoordde Lieke kortaf. „Welterusten."

„Doe nou niet meteen zo afstandelijk, alleen omdat ik er anders tegenaan kijk dan jij," verzocht David rustig. „Het is heus niet zo dat zijn dood me niets doet. Ik vind dit heel erg."

„Daar is anders weinig van te merken," reageerde Lieke vinnig.

„Dat is onzin, dat weet je best," wees hij haar terecht. Ondanks haar weigering schonk hij toch een glas wijn voor haar in, wat Lieke onwillig aanpakte. „Ik ben wat rationeler in dit soort situaties, maar als buitenstaander kan ik er ook makkelijker mee omgaan. Ik heb Frits amper gekend, in tegenstelling tot jullie hele familie. Je kunt me niet kwalijk nemen dat ik geen verdriet heb, maar dat wil niet zeggen dat ik het niet vreselijk vind."

„Je hebt gelijk," gaf Lieke zuchtend toe. Ze ging zitten en staarde peinzend naar het glas in haar handen. „Ik voel me zo beroerd dat ik weinig kan hebben en dat reageerde ik op

jou af. Sorry. Frits is altijd een beetje mijn broer geweest, het is gewoon niet eerlijk dat dit hem moest overkomen."
„Het leven is ook niet eerlijk. Het leven is kort en heel erg betrekkelijk, dat realiseer je je pas goed als er een jong iemand wegvalt. Frits was zo'n beetje van dezelfde leeftijd als ik," peinsde David. „Dat zet je toch wel aan het denken en laat je de dingen anders zien. Kijk nou bijvoorbeeld naar onszelf. Ons leven bestaat uit werken, werken en nog eens werken. En waarom? Om op een gegeven moment dood te gaan en niets achter te laten. We hebben amper tijd om van elkaar te genieten."
„Dat lijkt me enigszins overdreven," dacht Lieke. Ze trok haar benen onder zich in de brede, comfortabele fauteuil en legde haar hoofd behaaglijk tegen de leuning. Ze hield ervan om lange, diepzinnige gesprekken met David te voeren en dit leek er zo één te worden. „Als je alleen maar werkt om geld en status te vergaren is het wat anders, maar wij genieten van ons werk. Ik wel tenminste, ik hou ervan. Ik dacht dat dat voor jou ook gold." Ze keek hem vragend aan.
„O jawel, ik ga er iedere dag met plezier naartoe, nog steeds, maar er moet toch meer zijn dan dit. Jij bent voor mij het allerbelangrijkste in mijn leven, toch breng ik minder tijd met jou door dan dat ik op kantoor zit. Ergens klopt dat niet."
„Dat komt door de keuzes die we eerder in ons leven gemaakt hebben, voor we elkaar leerden kennen. Jij hebt een drukke, verantwoordelijke baan en ik zit midden in de opbouw van mijn bedrijf. Eerlijk gezegd bevalt het leven zoals we dat nu leiden me prima, al zou ik inderdaad meer dingen met jou samen willen doen. Maar ja, je kunt nu eenmaal niet alles tegelijk hebben."

„Dat kan wel, als ik een stap terug doe in functie en jij iemand aanneemt voor je administratie," zei David.

Hij keek haar niet aan, maar wachtte gespannen op Lieke's reactie. Dit was iets waar hij al veel langer mee bezig was. Het beviel hem helemaal niet dat hij de vrouw waar hij zoveel van hield zo weinig zag.

„Mijn bedrijf levert nog niet genoeg op voor een vaste kracht. De freelancers die ik regelmatig in moet huren slokken een te groot deel van het budget op," zei Lieke echter zakelijk.

„Het laatste probleem wat we hebben is geld. Wat dat betreft zou je tien medewerkers aan kunnen nemen en het nog niet merken."

„Dat is privé-vermogen, dat ligt anders. Jij, met jouw ambities, zou dat toch moeten begrijpen. Ik wil mijn bedrijf eigenhandig opbouwen en laten floreren, anders heeft het geen waarde voor me."

„Als je een personeelslid aanneemt en betaalt uit je privé-vermogen, betekent dat niet dat je op zakelijk gebied minder geslaagd bent. Het houdt eigenlijk alleen in dat je vrije tijd koopt."

„Zo wil ik het niet," zei Lieke koppig. „Ik wil het zelf voor elkaar krijgen."

„Dus blijven we op deze voet doorgaan?" vroeg David. „Veel werken, elkaar weinig zien? Alles volgens een strak tijdschema?"

„Dat klinkt wel erg negatief. Ik dacht dat we gelukkig waren op deze manier, ik tenminste wel. Wat wil jij dan?" vroeg Lieke hulpeloos.

Zo kende ze David niet. Een halfuur geleden had ze hem nog verweten dat hij hard en zakelijk was, nu liet hij ineens een hele andere kant zien.

72

„Ik wil meer tijd met jou doorbrengen, tijd hebben voor onverwachte uitstapjes, genieten van kleine en grote dingen in het leven, een gezin stichten," somde David op. „Kortom, ik wil leven, niet alleen als een robot iedere dag minstens tien uur functioneren voor een bedrijf."

„Een gezin?" echode Lieke verbaasd. Dat was het enige wat tot haar doorgedrongen was. „Bedoel je kinderen?"

„Dat is wat men onder een gezin verstaat, ja," glimlachte David. „Lijkt dat je niet fantastisch, twee of drie nazaten van ons?"

„Ja. Nee. Nu nog niet," stamelde Lieke verbouwereerd. „Jeetje David, je overvalt me hier wel mee. Natuurlijk wil ik graag kinderen van jou, ooit, in de toekomst, maar niet nu."

„Wanneer dan wel?" wilde hij weten.

„Dat weet ik niet. Over tien jaar of zo, weet ik veel. Wat is dat nou voor een vraag? Op dit moment is dat helemaal niet aan de orde. Mijn werk slokt me nog veel te veel op."

„Werk, werk," zei hij bitter. „Het grote struikelblok in ons huwelijk. Je had met je bedrijf moeten trouwen in plaats van met mij."

„Zeg, wat is dit nu opeens?" Lieke ging recht overeind zitten en keek hem beschuldigend aan. „Zo stonden de zaken er al voor toen we trouwden, dit is niks nieuws. Ik ben net drieëntwintig geworden en ik ben er nog lang niet aan toe om moeder te zijn. Ik wil mezelf eerst ontwikkelen en iets opbouwen."

„En dan verwijt je mij dat ik rationeel ben," zei David op spottende toon terwijl hij opstond. „Met jou is over dit onderwerp niet te praten, dat heb ik vaker gemerkt. Ik ga naar bed, morgen moet ik er namelijk weer vroeg uit om op tijd op mijn werk te zijn."

Hij beende met grote passen de kamer uit en Lieke staarde hem verbaasd na. Wat had hij nou opeens? Het leek wel een midlifecrisis, maar daar was hij met zijn eenendertig jaar toch nog rijkelijk jong voor. Ze schonk zichzelf nog een glas wijn in en keek peinzend voor zich uit. Waarschijnlijk kwam dit door de toch onverwachte dood van Frits. Zoals David al gezegd had, ze waren van dezelfde leeftijd. Het was niet vreemd dat David hierdoor ook ineens met zijn eigen sterfelijkheid geconfronteerd werd en dat viel nu eenmaal niet mee. Dan keek je ineens heel anders tegen de zaken aan, maar meestal was dat slechts tijdelijk. Het zou wel weer overgaan, dacht Lieke schouderophalend.

Ze ruimde de glazen op en deed de lichten uit. Ze vond het vreselijk dat Frits overleden was, maar betrok het niet op haar eigen leven, wat David blijkbaar wel deed. Ze was tenminste niet van plan om iets te veranderen, het leven wat ze leidde beviel haar veel te goed zo.

HOOFDSTUK 6

De begrafenis van Frits was een rustige aangelegenheid. De voltallige familie Nieuwkerk was er, enkele vrijwilligers uit het opvangtehuis, Ursula en slechts een handjevol familieleden van Frits. Na de korte plechtigheid en de teraardebestelling verliet het gezin Nieuwkerk meteen het kerkhof. Noortje voelde niet de behoefte om Frits' familieleden, die hem hadden laten vallen op het moment dat hij ze hard nodig had, de hand te schudden en zelf wilde ze ook niet uitgebreid en ongemeend gecondoleerd worden. Het hoofdstuk Frits lag nu voorgoed achter haar, inclusief zijn familie. Het had toch al nooit zo geboterd tussen de gezinsleden van Frits, één van de redenen van zijn vroegere bindingsangst. Het voorbeeld dat hij thuis op dat gebied had gekregen, was totaal tegengesteld aan de warme sfeer waarin Noortje was opgegroeid.

Katterig zat de familie Nieuwkerk even later om de grote, ronde tafel in de eetkamer van het personeel, voorzien van grote kannen koffie.

„Nou, dat was het dan," zei Noortje triest. Met een kouwelijk gebaar vouwde ze haar handen om haar koffiebeker.

„Je redt het wel," probeerde Lieke haar te troosten. „Je bent een taaie, Noor."

„Gelukkig waren jullie nog niet zo lang samen," zei Sjoerd. „Ik bedoel… Nou ja, als je een paar jaar getrouwd bent en een gezin hebt, is dit erger. Toch?" Hij maakte een hulpeloos gebaar met zijn handen en keek onzeker in het rond. Noortje, die wist dat hij dit zei in een onhandige poging om haar te bemoedigen, knikte hem toe. Het had geen nut om de hatelijke opmerking die voor in haar mond lag, te spuien. Sjoerd bedoelde het goed.

„In ieder geval heeft hij nu geen pijn meer," deed ook Barend een duit in het zakje. „Dat is iets om dankbaar voor te zijn." Hij legde even zijn hand op de schouder van zijn dochter.

Noortje ving de knipoog van Leen op, die tegenover haar aan tafel zat. Gelukkig hield hij tenminste zijn mond, dacht ze dankbaar. Ze werd gek van al die troostend bedoelde opmerkingen die alleen maar pijn deden.

„Ik weet dat jullie me willen helpen en daar ben ik ook heel dankbaar voor, maar nu wil ik liever even alleen zijn," zei ze.

Alsof ze daarop gewacht hadden, stond iedereen op.

„Ja jongens, we gaan weer aan het werk," riep Barend luidruchtig. „We hebben dan wel goed personeel dat het prima een dagje zonder ons kan redden, maar de leiding moet nooit te lang afwezig zijn, vind ik." Als een schoolmeester dirigeerde hij zijn vrouw en kinderen de deur uit. „Je weet me te vinden, hè?" zei hij over zijn schouder tot Noortje. Het klonk onbeholpen, maar heel lief. „Als ik iets voor je kan doen, kom dan naar me toe."

„Dank je pap," zei ze schor.

Leen was de laatste die aanstalten maakte om het vertrek te verlaten. Dralend bleef hij bij de deur staan.

„Wil je echt alleen zijn, of wil je liever gezelschap van iemand die naar je luistert zonder opmerkingen te maken waar je niets aan hebt?" vroeg hij ronduit.

Noortje glimlachte door haar tranen heen. „Ik geloof dat jij de enige bent die me begrijpt."

Leen ging weer zitten en keek haar ernstig aan. „Ik ben een paar jaar geleden mijn broer verloren, ook na een ernstige ziekte. Het is anders dan het verlies van een partner, maar ik weet dus wel wat verdriet is. Op dit moment kan niemand je troosten, hoe graag we dat ook allemaal zouden willen."

„Ze bedoelen het allemaal zo goed. Het is ook niet dat ik hun pogingen niet waardeer, maar…" Een droge snik welde op in haar keel en belette haar even om verder te praten.

„Je wilt het nu gewoon niet horen," begreep Leen terwijl hij hun bekers nog eens volschonk.

„Juist," beaamde Noortje. Ze haalde diep adem om zichzelf weer enigszins onder controle te krijgen. Leen zou het vast niet erg vinden als ze ging huilen, maar dat wilde ze niet. Huilen was iets wat ze liever deed als ze alleen was. „Ik weet dat ik hier ooit wel weer uitkom, dat we toch geen lange toekomst hadden en dat het beter nu kon gebeuren dan over een paar jaar, maar het zijn allemaal van die gemeenplaatsen die het verdriet en het gemis niet minder maken. Frits is jarenlang de belangrijkste persoon in mijn leven geweest, ook in de periode dat we niet samen waren en ik weet nu gewoon even niet hoe ik moet leven zonder hem. Dat is iets wat moet slijten, dat kun je niet afdwingen. Ik heb tijd nodig om dit te verwerken."

„Dat begrijp ik. Die tijd moet je jezelf ook gunnen, zonder je door iemand te laten pushen. Iedereen heeft zijn eigen manier van rouwverwerking, jij moet zelf zoeken welke voor jou de beste is."

„Ik heb gisteravond hardop tegen Frits zitten praten alsof hij bij me was," bekende Noortje. „Vind je dat gek?"

Leen schudde langzaam zijn hoofd. „Ik vind niet snel iets gek. Ik keek met mijn broer altijd naar belangrijke voetbalwedstrijden. Na zijn overlijden zette ik bij iedere wedstrijd zijn foto voor de tv, zodat ik toch een beetje het gevoel had dat hij bij me was," vertelde hij eerlijk.

Ondanks alles schoot Noortje in de lach. „Ja, dan valt mijn gesprek met Frits nog mee," plaagde ze. Ze stond op en liep om de tafel naar Leen toe. Impulsief sloeg ze haar armen om zijn nek en gaf hem een zoen op zijn wang. „Dank je wel," zei ze eenvoudig.

„Graag gedaan," gaf hij al even simpel terug. „Wat ga je nu doen? Wil je een tijdje vrij hebben?"

„Nee, ik ga aan het werk," antwoordde Noortje beslist. „Ik denk dat ik het beste op een zo normaal mogelijke manier verder kan gaan, al is het moeilijk. De verleiding is groot om thuis stil in een hoekje te gaan zitten treuren, maar daar schiet ik niets mee op."

Leen sprak haar niet tegen en probeerde haar ook niet over te halen om iets anders te doen, iets waar Noortje blij om was. Haar ouders, broer en zussen hadden haar er allemaal van proberen te overtuigen dat ze het een tijdje rustig aan moest doen, maar daar voelde Noortje niets voor. Vrije tijd noodde uit tot piekeren, wist ze en piekeren was het laatste waar ze behoefte aan had. Ze wilde werken, bezig zijn en haar aandacht ergens anders op richten, hoe moeilijk dat ook was.

Gezamenlijk liepen Leen en Noortje de eetzaal uit. Marga, die ze van achter de receptie aan zag komen, keek hen bevreemd aan.

„Hé, was jij nog bij Noortje? Ik zocht je al."

„Zijn er problemen?" informeerde Leen zakelijk.

„Dat is een groot woord. Gaat het wel, Noor?" wendde ze zich bezorgd tot haar dochter.

„Ja hoor, ik ga naar de crèche." Noortje liep haastig door, voor haar moeder haar kon overladen met goede raad. Ze voelde dat ze weinig kon hebben zonder in tranen uit te barsten en dat wilde ze absoluut vermijden.

„Laat haar maar," zei Leen, die zag dat Marga achter haar aan wilde lopen.

„Ik wil haar zo graag helpen," zuchtte Marga.

„Dat kunnen we niet," zei Leen simpel. „Hier moet ze zelf doorheen, al klinkt het hard. Waar had je me voor nodig?"

Ze bogen zich samen over de boekingsformulieren, waar een fout in geslopen was. Het kostte Marga moeite zich te concentreren op haar werk. Niet alleen was ze met haar gedachten voornamelijk bij Noortje, ze had die middag ook een afspraak bij een internist voor een lichamelijk onderzoek. Ze voelde zich nog steeds niet fit en de gebeurtenissen van de laatste dagen hadden daar ook geen goed aan gedaan.

„Vanmiddag ben ik er niet," hielp ze Leen herinneren. „Hou jij een oogje op Gerda? Dit wordt de eerste keer dat ze dienst heeft zonder dat ik erbij ben."

„Zal ik doen. Gaat Barend met je mee?"

„Nee, ik ga samen met Anneke. Zij heeft een afspraak bij de verloskundige in hetzelfde ziekenhuis, dus ik kan met haar meerijden." Marga keek op haar horloge. „Over een uur gaan we weg. Gerda komt zo, ik zal haar instructies geven over wat er gedaan moet worden, maar blijf een beetje in de buurt. Ze is nogal onzeker."

„Dat komt wel goed," stelde Leen haar gerust.

Hij ging aan zijn werk, maar zijn gedachten bleven bij Noortje. Hij voelde medelijden en bewondering tegelijk voor haar. Het feit dat ze meteen aan het werk ging en weigerde in een hoekje te gaan zitten huilen, vond hij moedig. Het bewees hoe sterk ze was, maar hij kende ook haar kwetsbaarheid. Kon hij maar meer voor haar doen, daadwerkelijke hulp bieden in plaats van alleen met haar praten en naar haar luisteren. Maar dat was onmogelijk. Niets kon

Noortjes verdriet wegnemen, alleen de tijd en steun van de mensen om haar heen.

Leen schrok op uit zijn gedachten omdat iemand hem van achteren vastpakte. Het was Froukje, die hem lachend aankeek.

„Zo, jij was ver weg," zei ze.

„Dat valt wel mee, mijn hoofd vertoefde bij een fout boekingsformulier," zei Leen enigszins bezijden de waarheid. Schuldig realiseerde hij zich dat hij het afgelopen uur totaal niet aan zijn vriendin had gedacht. Zijn gedachten werden te veel in beslag genomen door het bleke gezichtje met de verdrietige ogen van haar zus.

„Zie je ertegen op?" informeerde Anneke terwijl ze haar wagen behendig voor het ziekenhuis parkeerde.

„Ach, zo'n onderzoek is nooit prettig," zei Marga gelaten. „Maar wel nodig, dat voel ik wel. Ik voel me de laatste tijd eerder zeventig dan vijftig."

„Waarschijnlijk krijg je iets van staalpillen en extra vitamines voorgeschreven," vermoedde Anneke.

„Ik wacht het maar af. Spreken we af in de koffiehoek?" stelde Marga voor.

„Oké, tot straks dan."

Ze liepen ieder een andere kant uit. Marga nam de lift naar de tweede etage, waar de polikliniek van de internist gevestigd was en Anneke sloeg linksaf de gang in naar de wachtkamer van haar verloskundige. Ze was vroeg, zag ze. De wachtruimte zat vol met vrouwen in verschillende stadia van zwangerschap, dus waarschijnlijk zou het nog wel even duren voor ze aan de beurt was.

Verveeld bladerde ze een paar tijdschriften door. Ze voelde zich beroerd en vaag misselijk, maar dat was niet vreemd na de enerverende ochtend die ze achter de rug had. De tegenstelling was dan ook wel erg groot; 's morgens een begrafenis en 's middags naar de verloskundige voor de controle van het nieuwe leven dat in haar groeide. Dood en leven, verdriet en geluk, nooit eerder was het haar zo duidelijk hoe dicht die twee bij elkaar lagen. Hoewel geluk niet het eerste woord was wat in Anneke opkwam met betrekking tot haar zwangerschap. Ze had er nog steeds gemengde gevoelens over. Voor het eerst in haar leven was ze wensloos gelukkig geweest, zowel in haar gezin als in haar werk. Deze baby had roet in het eten gegooid, al was het maar omdat ze nu weer gedwongen werd haar leven opnieuw in te richten, net nu het zo lekker liep. Voor Sjoerd was het makkelijker, voor hem veranderde veel minder. Hij hield van zijn kinderen, maar miste de intense betrokkenheid die Anneke vanaf de dag van hun geboorte met Damian en Charity had. Diezelfde betrokkenheid zou het haar straks, na de bevalling, moeilijk maken om weer te gaan werken, wist ze al bij voorbaat. Maar weer hele dagen thuis zitten en terugvallen in de rol van verveelde huisvrouw, met het risico dat zij en Sjoerd dan weer van elkaar zouden vervreemden, wilde ze ook niet.

Al met al maakte deze baby het er niet makkelijker op, al beweerde Sjoerd dan dat ze zichzelf problemen aanpraatte. Voor een man lagen deze zaken toch anders, dacht Anneke berustend. Met een zucht gooide ze het tijdschrift op het lage tafeltje naast haar. Wat duurde het lang, Marga was misschien allang klaar. Een blik naar de mensen om haar heen vertelde Anneke dat er nog twee vrouwen zaten die voor haar waren, de rest was na haar binnengekomen. Dan had ze nog mooi de tijd om naar het toilet te gaan. Even weg uit het geroezemoes van stemmen en de herrie die de meegekomen kinderen maakten. Een beetje water drinken en even haar polsen onder de koude kraan houden, misschien hielp dat om zich wat beter te laten voelen. Een lichte duizeling overviel haar terwijl ze opstond, zodat ze even wankelde.

„Gaat het?" vroeg een aanstaande moeder die naast haar zat.

„Ik denk dat ik iets te snel op ben gestaan," antwoordde Anneke met een flauwe glimlach.

Ze haastte zich naar de toiletruimte, ondertussen haar buik, die plotseling fel begon te steken, met twee handen vasthoudend. Bah, wat was dit ineens allemaal? Het leek wel alsof ze werd meegezogen in een draaikolk. Met gesloten ogen leunde Anneke tegen de koele tegels, toen ze ze weer opende zag ze meteen de bloedvlekken op haar lichte broek.

O nee! Ze klemde zich vast aan de wasbak, maar al te goed wetend wat dit betekende. Haar hoofd voelde vreemd licht aan en haar knieën dreigden het te begeven. Het lukte haar nog net de aanwezige alarmknop in te drukken voor ze haar grip op de wasbak verloor en alles zwart voor haar ogen werd.

Het bijkomen later voelde vreemd. In plaats van de witte tegels van het toilet keek ze naar een ruwe, geverfde muur, de koude, harde grond onder haar lichaam was vervangen door een bed. Het duurde een paar minuten voor Anneke besefte wat er gebeurd was en waar ze zich bevond. Ze lag in het ziekenhuis, dat werd haar langzaam duidelijk. Haar eigen kleren zag ze nergens, ze droeg nu een ziekenhuishemd.

Hoe lang was ze buiten bewustzijn geweest en wat was er in die tijd allemaal gebeurd? Haar ogen zochten naar een knop waarmee ze iemand kon roepen, maar voor ze die gevonden had ging de deur van de kamer al open en kwam er een verpleegster binnen.

„Ah, u bent er weer, zie ik," zei ze op een beroepsmatig opgewekt toontje. Geroutineerd voelde ze Anneke's pols en noteerde wat gegevens op de kaart die aan het voeteneinde van het bed hing. „Hoe voelt u zich nu?"

„Ik weet het niet," antwoordde Anneke langzaam. Dit was zo onwerkelijk, alsof het met een ander gebeurde en zij er vanaf een afstandje naar keek. Dit kon toch ook niet zomaar? Het ene moment zat ze op de polikliniek voor haar zwangerschapscontrole en het volgende moment was ze patiënte in het ziekenhuis. Ineens schoot Anneke overeind, iets wat haar deed kreunen van pijn. Zwangerschapscontrole… Dat betekende… „Ben ik de baby kwijt?" vroeg ze ademloos.

Met medelijden in haar blik keek de verpleegster op haar neer. Ze zei niets, maar knikte haast onmerkbaar.

Langzaam liet Anneke zich terugzakken in de kussens, tranen brandden achter haar gesloten oogleden. Ze had een miskraam gehad, er was geen baby meer. Ze hoefde niet meer te piekeren over de toekomst, de natuur had het zelf al opgelost. Waarom voelde ze zich dan niet opgelucht? Waar kwam die pijn in haar hart dan vandaan? Haar handen gleden over haar nu lege buik en ze werd overvallen door een groot gevoel van verdriet, waarvan ze zelf niet begreep waar het vandaan kwam.

„Huil maar," zei de verpleegster zacht. „Het is nooit goed om verdriet weg te stoppen."

Zwijgend schudde Anneke haar hoofd. In haar situatie zouden tranen hypocriet zijn, dacht ze. Ze had het recht niet om te huilen, dat had ze verspeeld door zich tegen deze zwangerschap te verzetten. Ze moest haar aandacht ergens anders op richten.

„Mijn schoonmoeder," zei ze, met moeite proberend ergens anders aan te denken. „Ik was samen met haar, ze zit in de koffiehoek op me te wachten."

„Die is al ingelicht. Ze heeft inderdaad een hele tijd zitten wachten, maar toen is ze bij de balie van de verloskundige gaan vragen waar u bleef. Ze is nu naar huis om uw man in te lichten, hij zal zo wel komen. De dokter ook, hij zal u precies vertellen wat er allemaal gebeurd is."

Anneke gaf geen antwoord meer. Ze verlangde hevig naar Sjoerds aanwezigheid, hij zou haar troosten en steunen. Dit verdriet deelden ze samen, ze waren allebei hun kind kwijtgeraakt.

Een kwartier later kwam Sjoerd binnen. Langzaam liep hij naar het bed, alsof het hem moeite kostte zich voort te bewegen. Bij het voeteneind bleef hij staan, de hand die Anneke naar hem uitstak negeerde hij.

„Ik heb met de dokter gesproken," zei hij op koele toon.

„Dus je weet het al? We zijn de baby kwijt, Sjoerd." Een droge snik welde op in Anneke's keel.

„Doe nou niet alsof je zo verdrietig bent." Zijn stem sneed door de stille ziekenkamer. „Dit komt je heel goed uit, waar of niet?"

„Nee. Ja. Ik vind dit ook erg."

„Het spijt me, maar het kost me moeite om dat te geloven. Je bent nog geen moment blij geweest met het feit dat we opnieuw een kindje kregen. Je wilde een abortus."

„Dat is iets wat ik alleen vaag overwogen heb. Sjoerd, doe alsjeblieft niet zo hard, zo koud."

„Ik voel me hard en koud," zei hij langzaam en emotieloos. „Ik was er zo blij mee."

Zijn stem brak. Hij wendde zich van het bed af en staarde door het raam naar buiten, zijn handen tot vuisten gebald. Anneke slikte. „We… We kunnen het toch opnieuw proberen?" waagde ze. „Een miskraam wil niet zeggen dat we nooit meer een baby kunnen krijgen."

Sjoerd draaide zich om en keek haar ongelovig aan. „Heb jij de dokter nog niet gesproken?"

„Nee, ik heb nog niemand gezien, behalve een verpleegster. Hoezo?" Anneke keek naar het gezicht van haar echtgenoot en de schrik sloeg haar om het hart. „Is er iets mis?" vroeg ze angstig.

Sjoerd ging op de stoel naast het bed zitten, nu pakte hij wel haar hand vast. „Het was geen gewone miskraam, maar een buitenbaarmoederlijke zwangerschap," vertelde hij moeizaam. „Je bent direct geopereerd."

„Daar weet ik helemaal niets van," fluisterde Anneke ontzet. „Betekent dat…?" Ze durfde de woorden niet uit te spreken, maar Sjoerd begreep wat ze wilde zeggen.

„Volgens die dokter is een nieuwe zwangerschap niet uitgesloten, maar eerlijk gezegd kreeg ik de indruk dat we niet te veel hoop moeten koesteren."

„O Sjoerd, het spijt me." De tranen liepen over Anneke's wangen.

„Mij ook," zei hij opstaand. „Bij mij was deze baby wel welkom."

„Toen ik hoorde dat het fout was, realiseerde ik me dat ik daar ook zo over dacht."

„Dat kun je achteraf makkelijk zeggen, nietwaar? Ik zal er nooit achter komen of het echt zo was." Sjoerd boog zich over Anneke heen en gaf haar plichtmatig een kus op haar wang. „Ik ga naar huis, jij hebt rustig nodig. Tot morgen."

Anneke gaf geen antwoord. Met brandende ogen staarde ze

naar het plafond, te ontdaan om te huilen. Sjoerds bezoek was niet wat ze ervan verwacht had, maar ze kon niet kwaad op hem zijn. Hij had gelijk, dat maakte het juist zo moeilijk. Ze had het recht niet om verdrietig te zijn.

„Wat een dag," verzuchtte Marga die avond tegen haar man. Ze streek met twee handen over haar voorhoofd. „Eerst een begrafenis, daarna de operatie van Anneke. Zowel alle goede als alle slechte dingen gaan in drieën, zeggen ze. Nou, dan vraag ik me af wat ons nog meer te wachten staat. Veel erger kan het toch niet worden, volgens mij."
„Probeer je een beetje te ontspannen," zei Barend. Hij schonk een glas wijn voor haar in en zette die voor haar op de salontafel. „Je mag toch wel wijn?" schrok hij toen.
Marga knikte. „Ik begin morgen pas met die medicijnen voor de hoge bloeddruk, dus vandaag kan het nog wel. Ik kan wel een borrel gebruiken nu. Trouwens, zo'n bloeddruk is een momentopname. Het is natuurlijk niet vreemd dat het vandaag zo hoog was, over een paar dagen kan het best een stuk lager zijn."
„Als je toch die medicijnen maar inneemt," waarschuwde Barend haar. „Tenslotte is die bloeddruk niet je enige klacht, je mankeert meer dan dat. Totdat al die uitslagen binnen zijn wil ik dat je het heel rustig aan doet."
„Ja baas," glimlachte Marga. Ze trok hem naast zich op de bank en kroop tegen hem aan. Wat hadden ze het toch goed samen, ondanks alle tegenslagen van de laatste tijd. Maar ja, zo was het leven nu eenmaal, filosofeerde ze. Goede en slechte tijden wisselden elkaar af. Zolang ze elkaar maar hadden, dan was het allemaal wel te dragen.
„Waar denk je aan?" wilde Barend weten.
„Dat ik van je hou," antwoordde Marga simpel.

Zwijgend sloot hij zijn armen wat vaster om haar heen, ze waren al zo lang samen dat ze geen woorden nodig hadden. Met angst in zijn ogen keek Barend naar Marga's witte gezicht. Zijn leven zou kapot zijn als haar iets overkwam, besefte hij. Marga betekende alles voor hem, al meer dan hun halve leven. Hij wist niet waar die angst ineens vandaan kwam, maar hoewel hij het weg probeerde te redeneren nestelde het zich stevig in een hoekje van zijn hart.

HOOFDSTUK 7

De kerstdagen naderden met rasse schreden. Lang geleden was al afgesproken dat het hele gezin Nieuwkerk eerste kerstdag zou werken, zodat zo veel mogelijk personeelsleden vrij konden nemen op die dag. De winkel, kapsalon en crèche waren dan weliswaar dicht, maar zowel Lieke, Froukje, Noortje, Anneke en Sjoerd zouden op andere afdelingen werken, voornamelijk in de bediening. Veel gasten waren er niet, maar Marga wilde dat het voor de mensen die er wel waren een gezellige, huiselijke kerst zou worden.

„Ze gaan die dagen niet voor niets in een hotel zitten," had ze beslist gezegd. „Dat komt omdat ze thuis niets te zoeken hebben die dagen. Wij gaan er met zijn allen voor zorgen dat ze een heerlijke tijd hebben, met een echte kerstsfeer."
Een week voor het zover was, werd het hotel omgetoverd in een echt kersttafereel. Onder leiding van Lieke waren Barend, Sjoerd, David en Leen druk bezig met het neerzetten van een paar enorme kerstbomen en het bevestigen van talloze snoeren lampjes. Gerda zette kerststalletjes neer en voorzag alles van sneeuwdekens terwijl de serveersters alle tafeltjes voorzagen van kerstkleden en kerststukjes. Ook Froukje en Noortje waren ingezet voor de metamorfose, alleen Anneke ontbrak. Zij was nog steeds herstellende van haar zware operatie en bleef thuis bij de kinderen. Omdat het op een tijdstip moest gebeuren waarop de gasten er geen last van hadden, deden ze het 's avonds, toen de gasten zich teruggetrokken hadden op hun kamers of in de bar genoten van een drankje.
Marga, die onder protest van Barend wel gebleven was, maar die absoluut geen zwaar werk mocht verrichten van

haar gezin, hield een oogje in het zeil, zorgde voor koffie en maakte ondertussen het personeelsrooster voor de kerstdagen in orde. Met een frons tussen haar wenkbrauwen bekeek ze de lijst. Eigenlijk kon ze nog wel iemand gebruiken, maar het probleem was dat ze de meeste personeelsleden al een vrije dag had toegezegd. Ze kon het niet over haar hart verkrijgen om die van iemand in te trekken, tenslotte was ze zelf zo voorbarig geweest.

„Lukt het?" vroeg Gerda die even bij Marga aan het tafeltje uit kwam blazen.

„Bijna. Eigenlijk kom ik er nog eentje tekort, maar iedereen heeft zijn afspraken natuurlijk al gemaakt voor de kerstdagen. Nou ja, dan werk ik zelf maar een stapje harder."

„Zet mij er maar bij," zei Gerda achteloos. Ze keek haar vriendin niet aan, maar staarde langs haar heen naar de bedrijvigheid aan de andere kant van de eetzaal.

„Jij? En Joop dan? Hij zal het je niet in dank afnemen als je eerste kerstdag niet thuis bent," meende Marga.

„Dat zal wel meevallen." Gerda beet op haar onderlip. Haar ogen stonden triest, zag Marga. „Het interesseert Joop niet langer of ik wel of niet thuis ben. Hij heeft allang vervanging voor me gevonden."

„Wat? Bedoel je…?" Marga durfde het bijna niet hardop uit te spreken, maar Gerda knikte al.

„Ja, hij heeft een ander. Ik ben afgedankt, Mar. Weggedaan als een paar oude, versleten schoenen. Hij houdt niet meer van me en gevoelens kun je nu eenmaal niet dwingen."

„Maar… Zomaar opeens? Jullie zijn bijna dertig jaar getrouwd!"

„Vertel mij wat." Gerda's stem klonk bitter. „Dat heb ik hem ook gezegd, maar die jaren schijnen ineens niet meer te tellen. Wij zijn meer broer en zus voor elkaar geworden dan man en vrouw, beweerde hij. Bij Annemarie, zijn nieuwe liefje, voelt hij zich een echte man. Zij geeft glans aan zijn leven, zij houdt hem jong. Dit zijn dus allemaal zijn eigen woorden. Wat kan ik daar nog tegenin brengen?"

Marga liet verbijsterd haar papieren zakken, totaal van slag door dit onverwachte nieuws. Joop en Gerda, waar ze al vijfentwintig jaar bevriend mee waren, gingen uit elkaar? Joop had een andere vrouw? Ze kon het niet vatten.

„Hoe lang speelt dit al?" vroeg ze ongelovig.

„O, al een tijdje. Hij heeft haar vorig jaar ontmoet en sinds die tijd zijn we steeds meer uit elkaar gegroeid. Twee weken geleden kwam het hoge woord er bij hem uit en eergisteren is hij vertrokken."

„Hij is weg?" echode Marga. Dit werd steeds gekker. „Echt weg? Ik bedoel… Gaan jullie scheiden?"

„Dat lijkt er wel op, ja. Hij wil me niet meer, Marga, dat weet ik eigenlijk al heel lang. Daarom was ik ook zo blij dat ik hier kon gaan werken, dit geeft afleiding. En hier ben ik tenminste iemand, thuis ben ik niets meer. Daar zit ik alleen maar te huilen en te piekeren."

„Ik kan het gewoon niet geloven," zei Marga hoofdschuddend. „Waarom heb je nooit iets gezegd?"

„Het is niet bepaald een verhaal wat ik trots rondbazuin. Jullie hadden trouwens wel iets anders aan je hoofd de laatste tijd," antwoordde Gerda.

„Maar daarom kun je wel bij me terecht! Hoe voel je je?"

„Ach, het went." Gerda haalde laconiek haar schouders op.

„Je hoeft je niet groot te houden voor mij," zei Marga zacht.

„Maar ik meen het. Natuurlijk heb ik er verdriet van, want zoiets verwacht je niet meer na zoveel jaar, maar ik weet al langer dat het fout zat. Het is niet onverwachts gekomen.

Sinds hij Annemarie ontmoet heeft is ons huwelijk eerst langzaam en toen steeds harder achteruit gegaan, tot het uiteindelijk niets meer voorstelde. Joop vindt het trouwens zelf ook erg. Het is niet zo dat hij makkelijk weggegaan is. We hebben er heel lang over gepraat en we hebben ook geprobeerd er nog iets van te maken, maar het werkte gewoon niet meer. Ik heb trouwens geen behoefte aan een man die met zijn hart ergens anders is."

„Ik weet gewoon niet wat ik moet zeggen."

„Zeg maar niets, dat helpt toch niet. Zet me maar gewoon op de lijst voor eerste kerstdag, ik werk liever dan dat ik alleen thuis zit," zei Gerda terwijl ze opstond om weer aan de slag te gaan.

Nog steeds in opperste verbazing keek Marga haar na. Ze had wel vaker gemerkt dat er iets aan de hand was met haar vriendin, maar dit was toch het allerlaatste wat ze verwacht had. Ze had het meer gezocht in de richting van problemen met haar kinderen, net zoals zijzelf de laatste tijd zorgen had om Noortje, Anneke en Sjoerd. Maar dit… Ze waren nota bene pas nog een hele dag met zijn vieren weggeweest zonder dat ze iets in die richting gemerkt had! Het was echt onbegrijpelijk. Ze schudde haar hoofd en keek met nog steeds een verbaasde uitdrukking op haar gezicht naar Noortje, die nu op haar beurt aan het tafeltje schoof.

„Je kijkt alsof je een geest gezien hebt," zei ze tegen haar moeder.

„Ik heb in ieder geval wel iets heel onwaarschijnlijks gehoord. Joop en Gerda zijn uit elkaar."

„Dat meen je niet!"

„Ze vertelde het net. Misschien was het niet haar bedoeling dat ik het nu doorvertel, maar ik zit er zo vol van dat ik even niet anders kon."

„Ze kan het toch ook niet verborgen houden voor iedereen," merkte Noortje terecht op. „Tjee, wat erg voor haar. Na zo'n lange tijd."

„Ja, dat zie je. Ik zou bijna gaan twijfelen aan mijn eigen huwelijk."

Noortje schoot in de lach. „Dat is wel het laatste waar ik me zorgen om maak. Voor pa ben jij nog steeds de hele wereld. Hij zegt het wel niet zo vaak, maar zijn ogen spreken boekdelen als hij naar je kijkt."

„Dat is waar. Je vader en ik hebben het getroffen met elkaar," zei Marga.

Ze wierp een blik naar haar echtgenoot en Noortje zag haar moeders ogen zacht worden. Een steek van pijn trok door haar hart heen. Op dit soort momenten voelde ze het gemis van Frits dubbel zo sterk. Waarom was een dergelijk geluk voor haar niet weggelegd? Op het gebied van de liefde had ze tot nu toe alleen maar problemen en verdriet gekend. Ze wenste bijna dat ze Frits nooit ontmoet had, dan was haar een heleboel bespaard gebleven. Onbezorgd geluk had ze alleen maar in het prille begin van hun relatie met hem gehad, jaren geleden.

Over het algemeen kon ze goed omgaan met het verdriet en gemis, maar als ze het geluk van anderen zag, zoals nu bij haar moeder, had ze het moeilijk. De gedachte aan de komende kerstdagen benauwde haar, vooral tweede kerstdag. Met zijn allen gezellig om de boom, iedereen verliefd en gelukkig en dan zij. Eenzame en zielige Noortje. Bah! Ze rilde en Marga keek haar meteen opmerkzaam aan.

„Heb je het koud?"

„Een beetje," loog Noortje. „Zeg mam, ik eh… Laat mij de tweede kerstdag eigenlijk ook maar werken. Ik wil liever bezig blijven."

Lieke en Froukje, die net langs het tafeltje liepen, bleven abrupt staan. „Niks ervan!" riep de eerste meteen verontwaardigd. „Dat kan niet, Noor. Tweede kerstdag is voor de familie."

„De hele familie," voegde Froukje daar nadrukkelijk aan toe. Met medelijden in haar ogen keek ze naar haar zus. Ze wist precies hoe ze zich moest voelen. Nog niet zolang geleden had zij tenslotte dezelfde gedachten gehad, omdat ze als enige vrijgezel onder de kerstboom zou zitten tussen haar gelukkige familieleden in. In een paar weken tijd was er heel wat veranderd.

Leen merkte ook dat er iets aan de hand was en kwam erbij staan. Met gefronste wenkbrauwen luisterde hij naar Froukje, die hem vertelde wat Noortje gezegd had.

„We zouden het erg ongezellig vinden als je er niet bij bent," zei hij eenvoudig tegen Noortje.

Ze wendde haar gezicht af. „Alsof je het zou merken," zei ze bitter. „Je hebt genoeg aan je eigen vriendin, net zoals iedereen genoeg aan zijn eigen partner heeft. Dat is overigens geen verwijt hoor, maar ik heb weinig zin om er als het vijfde wiel bij te hangen."

„Dat is onzin, Noortje," bemoeide Marga zich ermee. „Je hoort gewoon bij ons, partner of niet. Kerst vieren we met zijn allen, dat hebben we altijd gedaan. Het is natuurlijk geen verplichting, maar je wilt nu wegblijven om de verkeerde redenen."

„En ik ben ook alleen," mengde Gerda zich nu in het gesprek. Langzamerhand waren er steeds meer mensen bij komen staan en Noortje voelde zich doodongelukkig onder die belangstelling. „Je ouders hebben Joop en mij ook uitgenodigd, maar Joop heeft andere plannen. Eerste kerstdag kom ik hier werken en de tweede kerstdag gaan wij gewoon samen onder die boom zitten, Noor."

Noortje glimlachte een beetje waterig naar haar. Het drong tot haar door dat ze niet de enige was die het moeilijk had. Voor Gerda zou het inderdaad ook niet meevallen, maar die liet niets merken.

„Oké dan, als jij tenminste mijn tafeldame wilt zijn," zei ze. Het gesprek verplaatste zich nu naar Gerda, want iedereen vroeg zich af wat er met Joop aan de hand was.

„Willen jullie wat drinken?" vroeg Lieke luid om de aandacht af te leiden. Ze had medelijden met Gerda, die nu ineens al die vragen naar haar hoofd kreeg. „Kom op, jongens, we houden even pauze. Zet een paar tafeltjes tegen elkaar, dan pak ik een paar flessen en de glazen."

Ze liep de brede klapdeuren naar de keuken door, waar zich de ingang naar het magazijn bevond. David snelde achter haar aan. Lieke pakte een paar flessen frisdrank en gaf die door aan haar man, die ze echter meteen weer neerzette en zijn armen om haar middel heen sloeg.

„Ik dacht dat je met me meeliep om me te helpen, niet om een potje te vrijen," plaagde ze hem terwijl ze zich omdraaide.

„Vrijen is leuker," plaagde hij. „Ik kreeg net een schitterend idee. Je hoorde wat Gerda zei, dat ze de eerste kerstdag komt werken."

„Ja, en?" Vragend keek Lieke hem aan. „Wilde je haar dan ergens mee verrassen of zo?"

„Nee, maar als ze jouw werk overneemt die dag, kun jij vrij nemen. Dan brengen we de eerste kerstdag lekker samen door. Heerlijk lang uitslapen, uitgebreid ontbijten, een lange wandeling door het bos, samen een kerstdiner klaarmaken. Lijkt het je wat?"

„Het klinkt heel aantrekkelijk, maar dat kan ik natuurlijk

niet maken," weerde Lieke af. „We hebben nu eenmaal afgesproken dat we met zijn allen het hotel draaiende houden die dag."

„Jij hebt dat afgesproken, ik niet," zei David nors. Hij liet haar onverwachts los en ze wankelde even tegen de grote stellingkast aan. „Ik ben die dag vrij, zoals ieder normaal mens."

„O, dank je wel, dat klinkt heel complimenteus," zei Lieke sarcastisch.

„En die dag wil ik graag met mijn vrouw doorbrengen," vervolgde David alsof ze niets gezegd had. „Dat is toch niet zo vreemd? We zijn bijna nooit samen."

„Begin nou niet weer," verzocht Lieke hem vermoeid. „We hebben het hier al zo vaak over gehad. We hebben een hotel en dat brengt bepaalde consequenties met zich mee. Eén daarvan is dat het werk nooit stopt. We kunnen moeilijk de gasten een dagje naar hun eigen huis sturen omdat mijn man meer tijd met me door wil brengen."

„Maar je kunt wel gewoon eens een vrije dag nemen. Verdorie Liek, hou ook eens rekening met mij en niet alleen met je familie en het hotel. Zonder te overleggen heb jij besloten dat je eerste kerstdag hier werkt en dat we tweede kerstdag bij je familie doorbrengen en daar heb ik geen probleem van gemaakt, terwijl ik het er eigenlijk helemaal niet mee eens ben."

„Dan had je dat moeten zeggen."

„Alsof dat nut heeft bij jou. Je drijft toch je eigen zin door," zei David bitter.

„Dat is een rotopmerking! Als jij meteen je bezwaren kenbaar had gemaakt had ik het nog terug kunnen draaien, nu is dat te laat. Ik kan niet ineens plompverloren tegen mijn familie zeggen dat ze het zonder mij op moeten knappen die dag. We zouden tenslotte allemaal liever vrij zijn, maar dat gaat nu eenmaal niet."

„Als Gerda voor jou inspringt wel," hield David koppig vol.

„Je wilt gewoon niet, dat is het punt. Waarom zeg je niet eerlijk dat je liever tijd met je familie doorbrengt dan met mij alleen?"

„Je zeurt," zei Lieke vermoeid. Ze leunde tegen de kast aan en sloot één moment haar ogen. Dit was de zoveelste keer al dat ze deze discussie voerden. Waarom kon David niet wat meer begrip voor haar opbrengen? Ze kon toch niet zomaar ineens iedereen in de steek laten? Ze bezaten het hotel nu eenmaal met zijn allen, zij kon het niet maken om er in haar eentje tussenuit te piepen op dat soort dagen. Afspraak was afspraak. „David, luister nu even," probeerde ze op een redelijke toon. „Natuurlijk zou ik veel liever de kerst met jou doorbrengen, maar daarvoor is het nu te laat. Als je het eerder had gezegd had ik er rekening mee gehouden."

„Het lijkt mij logisch dat we rekening met elkaar houden, dat hoef ik niet van tevoren aan te geven," zei hij spits.

„Ik dacht dat je het ermee eens was."

„Je zou beter moeten weten. Dit is niet de eerste keer dat ik dit onderwerp ter sprake breng, Lieke."

„Niet echt, nee," reageerde ze sarcastisch. „Dat is nou net het probleem. Je blijft erover doorzeuren. Tijd is nu eenmaal iets wat we niet in overvloed hebben, dat geldt voor ons allebei, maar ik krijg iedere keer de zwarte piet toegespeeld. Ik begin het zat te worden."

„Dat blijkt, ja." Zijn gezicht stond grimmig. „Maar wees gerust, mij zul je niet meer horen. Je werkt maar tot je erbij neervalt. Of tot ons huwelijk het begeeft."

„Wat bedoel je daarmee?"

„Precies wat ik zeg. Geef die flessen hier, ze zitten erop te wachten."

Met een verbeten trek op zijn gezicht pakte David de flessen frisdrank en beende het magazijn uit. Lieke volgde hem wat langzamer, met verwarde gedachten. Wat bedoelde David? Was het een dreigement? Een ultimatum? Nou, in dat geval was ze helemaal niet van plan om daaraan toe te geven. Overal was over te praten, maar ze liet zich niet de wet voorschrijven, ook niet door haar eigen echtgenoot. Ze hield van hem, maar hij kon vreselijk overdrijven. Natuurlijk zou ze liever eerste kerstdag met hem doorbrengen, al geloofde hij dat dan niet, maar het was simpelweg niet mogelijk. Misschien konden ze tweede kerstdag wat later naar haar ouders gaan dan was afgesproken, overwoog ze. Dan hadden ze die ochtend voor hen samen. Ze was bereid haar goede wil te tonen, maar dan moest het wel van twee kanten komen. David zou toch echt meer begrip op moeten gaan brengen wat betreft haar werk en het hotel, anders zou het inderdaad nog eens spaak lopen tussen hen. Ze liet zich in ieder geval niet in een hoek drukken door hem, nam Lieke zich voor.

Met een dienblad vol glazen voegde ze zich weer in de eetzaal bij haar familie, die haar juichend ontving.

„Eindelijk, ik begin langzaam uit te drogen hier," riep Froukje. „Waar bleef je nou zo lang?"

„David was bij haar, drie maal raden wat ze uitgespookt hebben," zei Sjoerd met een knipoog.

„In dat vieze magazijn?" Froukje lachte. „Ik zou wel een leuker plekje weten."

„Ach, de liefde laat zich niet door wat stof weerhouden," sprak Sjoerd pathetisch.

Ze zaten met de hele groep om een paar tafeltjes en de

opmerkingen vlogen, zoals altijd, over en weer. In de drukte viel het alleen Marga op dat Lieke erg stil was en David er met een strak gezicht bij zat. O nee, wat nu weer, vroeg ze zich af. Er zat duidelijk iets niet goed tussen die twee. Ze hoopte dat het slechts een simpele huis- tuin- en keukenruzie betrof, een kleine rimpeling in verder glad geluk. Ze had het gevoel dat het leven haar de laatste tijd boven het hoofd uit groeide. Het overlijden van Frits, Noortjes verdriet, de fout afgelopen zwangerschap van Anneke, Gerda die verlaten was door haar man, haar eigen gezondheid die het nodige te wensen overliet, het was wel erg veel wat ze te verstouwen kreeg. Soms wenste ze dat ze diep onder de dekens weg kon kruipen om pas weer tevoorschijn te komen als alles opgelost was.

Met vereende krachten werd de eetzaal na de korte pauze verder versierd. Om half twaalf die avond keken ze allemaal tevreden naar het eindresultaat, wat dan ook wel gezien mocht worden. De eetzaal en de ruime lobby waren veranderd in een echt winters sprookjestafereel, met grote kerstbomen, sneeuwpoppen, kunstig aangebrachte lampjes en heel veel sneeuw.

„Schitterend," zei Noortje tevreden. „Nu hoeven we alleen allemaal onze eigen afdeling nog maar te versieren, maar daar begin ik morgen pas mee hoor. Het is me nu te laat geworden om nog iets te doen. Ik bel een taxi en ga ervandoor."

„Een taxi?" Vragend keek Leen haar aan.

„Mijn auto heeft het vanmorgen begeven, hij staat nu bij de garage," legde Noortje uit.

„Ik geef je wel een lift," bood Leen aan. „Voor mij is het amper omrijden, je woont vlak bij Froukje en die breng ik ook thuis."

„Nou, graag dan." Noortje trok haar jas aan en pakte haar tas. „Zullen we meteen gaan dan? Ik ben behoorlijk moe."

„Oké. Froukje, kom je? We gaan naar huis," riep Leen naar zijn vriendin.

„En die troep dan?" Froukje wees naar de hoek van de eetzaal, die bezaaid lag met lege dozen, kapot gevallen kerstballen en vlokken sneeuw. „Dat kunnen we onmogelijk laten liggen. Als we met zijn allen even aanpakken, is het zo weg."

„Maar Noortje is doodmoe." Leen keek van de rommel naar Noortjes inwitte gezichtje, waarin de ogen dubbel zo groot leken als vroeger nu haar wangen zo ingevallen waren.

„Breng jij haar dan even thuis en kom dan terug om mij op te halen," loste Froukje dit op. Ze zag ook wel dat haar zus aan het eind van haar Latijn was, maar vond het vervelend om weg te gaan en de anderen voor de troep op te laten draaien.

„Goed plan. Tot straks dan. Noortje, ga je mee?"

„Ik kan ook gewoon een taxi bellen hoor," stribbelde Noortje nog even tegen, maar Leen pakte haar al bij haar elleboog en voerde haar mee.

„Onzin, ik lever je netjes thuis af. Ik krijg slaande ruzie met Froukje als ik dat niet doe," lachte Leen.

„Alsof je bang bent voor haar."

„Als de dood. Heb je enig idee hoe hard ze kan slaan?"

„Ja, ik heb vroeger regelmatig kennis gemaakt met haar knuisten," zei Noortje droog. „We kibbelden wat af toen. Froukje zat altijd snel op de kast terwijl ik juist heel kalm bleef als we ruzie hadden. Omdat ze verbaal geen vat op me kon krijgen, sloeg ze er maar op los."

„Ai, en dat vertel je nu pas?" zei Leen. „Ik heb altijd gedacht dat Froukje zo'n lief meisje was."

„Ach, vergissen is menselijk," lachte Noortje.

Ze genoot van dit soort onzinnige gesprekjes, waar Leen erg goed in was. Hoe lief haar familieleden ook waren, ze werd af en toe gestoord van hun bezorgde gedrag naar haar toe. Leen deed tenminste normaal en behandelde haar niet alsof ze een zielig persoon was die ontzien moest worden. Ze kon met hem praten en haar hart bij hem uitstorten, maar ze kon ook met hem lachen.

Vanaf de galerij van haar flatje zwaaide ze de auto na toen Leen weer terugreed naar het hotel. Weemoedig staarde ze naar de verdwijnende achterlichten. Leen... Vaak had ze het gevoel dat hij de enige was die haar begreep. Ze miste Frits ontzettend en had veel verdriet van zijn dood, maar in zekere zin had zijn overlijden ook een soort opluchting met zich meegebracht. De intense spanning was eraf, ze hoefde zich niet meer af te vragen hoe hun toekomst zou verlopen. Er was zekerheid. Met niemand durfde ze over die gevoelens te praten uit angst dat mensen haar harteloos zouden vinden of haar verdriet zouden gaan bagatelliseren. Alleen Leen wist hiervan af, maar hij veroordeelde haar niet. Integendeel, volgens hem waren zulke gevoelens juist heel normaal. Met Frits waren liefde en geluk haar leven binnengewandeld, maar ook zorgen en angst. Het was niet vreemd dat ze die laatste twee niet miste, had Leen nuchter opgemerkt.

Diep in gedachten sloot Noortje haar voordeur. Jammer eigenlijk dat hij meteen weer terug moest om Froukje op te halen. Hoewel ze doodmoe was, zag ze er iedere avond weer tegenop om haar bed in te stappen. Juist in bed, in haar eentje in het donker, sloeg het verdriet altijd zo hard toe en zag ze nergens meer een lichtpuntje. Daar had ze graag nog even met Leen over willen praten. Natuurlijk waren er genoeg andere mensen die ze kon bellen, maar bij niemand kon ze zo goed haar verhaal kwijt als bij haar aanstaande zwager.

Ze nam een hete douche en poetste haar tanden, daarna rolde ze al half slapend haar bed in. Voor het eerst sinds Frits er niet meer was, viel ze meteen in een diepe, droomloze slaap, zonder eerst uren te piekeren. Haar laatste gedachte die avond gold niet Frits, maar Leen. Froukje bofte maar met zo'n vriend, dacht ze met een steek van jaloezie in haar hart.

HOOFDSTUK 8

De kerstviering in hotel Margaretha werd een succes. De gasten genoten van het uitgebreide, sfeervolle ontbijt en het met zorg samengestelde diner van die avond. 's Middags werd het aloude kerstverhaal op het podium gespeeld door enige kinderen van de personeelsleden en 's avonds stond er een optreden van een bekende pianist op het programma, geboekt door Lieke. Al met al een zeer gezellige dag, die de familie Nieuwkerk moe, maar voldaan afsloot. Ze hadden hard moeten werken, maar zelf ook genoten van deze speciale dag en de vele complimenten van de gasten maakten veel goed.

Tweede kerstdag begon wat somberder. Niet alleen door de fijne motregen die gestaag naar beneden viel, maar ook door de stemming in huize Nieuwkerk. De gezelligheid die altijd aanwezig was als ze bij elkaar waren, wilde die dag niet echt op gang komen. Marga was moe en voelde zich beroerd. Niet alleen haar bloeddruk was veel te hoog, uit de onderzoeken was ook naar voren gekomen dat ze aan suikerziekte en hartritmestoornissen leed. Voor dat laatste was al een afspraak bij een cardioloog gemaakt, maar door de lange wachtlijsten duurde dat nog een tijdje. Van de internist had ze wel medicijnen gekregen, maar die sloegen nog niet echt aan. Buiten deze problemen maakte ze zich zorgen om haar kinderen.

Behalve bij Froukje en Leen liep het nergens echt lekker, constateerde ze verdrietig terwijl ze de kring rondkeek. Anneke zag er slecht uit, met bleke wangen en fletse ogen. De operatie had haar duidelijk geen goed gedaan en het verdriet over haar ongeboren kindje stond op haar gezicht te lezen, al praatte ze er dan redelijk nuchter over. Sjoerd gedroeg zich alsof het hem niet aanging. Hij was beleefd tegen Anneke, maar daar hield het dan wel mee op. Hij bemoeide zich voornamelijk met Damian en Charity. Het leek erop dat hij als bezorgde echtgenoot de zorg voor de kinderen op zich nam om zijn herstellende vrouw te ontlasten, maar Marga, zijn moeder, keek verder dan de oppervlakte. In haar ogen kwam het meer over alsof Sjoerd zich expres zoveel met zijn kinderen bezig hield om geen aandacht aan zijn echtgenote te hoeven schenken. Hij richtte geen één keer rechtstreeks het woord tegen Anneke. Als zij iets tegen hem zei gaf hij wel antwoord, maar keek daarbij langs haar heen, merkte Marga op. Zuchtend vroeg ze zich af wat er allemaal tussen haar zoon en schoondochter speelde. Natuurlijk hadden ze verdriet, maar dat rechtvaardigde dit gedrag niet. Ze zagen er eerder uit alsof ze twee vreemden voor elkaar waren die toevallig in hetzelfde huis zaten, dan als een echtpaar dat een groot verdriet had te verwerken en daardoor juist dichter naar elkaar toe gegroeid was.

En dan Lieke en David. Anderhalf jaar geleden stralend in het huwelijksbootje gestapt en sindsdien zo gelukkig samen dat iedereen er heimelijk een beetje jaloers op was. De laatste tijd was dat stralende er al langzaam maar zeker afgegaan en nu zaten ze erbij alsof ze ruzie hadden, maar dat niet aan de rest van de familie wilden laten merken. Marga wist niet dat ze met die gedachte regelrecht in de roos schoot. Lieke, die haar goede wil had willen tonen door voor te stellen een paar uur later naar haar ouders te gaan, had datzelfde voorstel meteen ingeslikt toen David op autoritaire toon had gezegd dat hij wel bij Marga en Barend wilde eten, maar de rest van de dag thuis wilde blijven.

„Dat kun je niet maken," had ze kortaf geantwoord. „Er valt met jou helemaal niet meer normaal te praten de laatste tijd. Als je ergens bezwaren tegen hebt, moet je dat direct zeggen en er niet mee komen als de afspraken al vaststaan en iedereen erop rekent. Mijn ouders bezitten dan wel een hotel, maar hun huis is geen restaurant waar je aan kunt schuiven voor het eten om na de maaltijd weer te vertrekken."

Na een stevige woordenwisseling had David uiteindelijk toegegeven dat ze gelijk had en waren ze toch gegaan, maar echt gezelligheidsverhogend was hun aanwezigheid niet. Lieke bedacht mokkend dat David tegenwoordig haar volledige aandacht claimde, alsof er niets anders op de wereld bestond, en David vroeg zich bitter af waarom Lieke met hem getrouwd was als ze er blijkbaar toch geen prijs op stelde om tijd met hem samen door te brengen.

De ontevredenheid was van hun gezichten af te scheppen, dacht Marga. Daarbij vergeleken zag Noortje er beter uit. Juist aan haar was uiterlijk niets te merken, hoewel ze het heel erg zwaar moest hebben tijdens deze feestdagen. De eerste kerstmis zonder Frits. Ondanks dat zat Noortje gezellig in de kring, niet uitbundig, maar ook niet stiller dan anders. Hoewel ze vrolijk lachte om een opmerking van Gerda, wist Marga wel zeker dat haar hart op hetzelfde moment huilde.

„Niet zo piekeren, mammie," klonk Froukjes stem ineens zacht naast haar.

„Dat is makkelijker gezegd dan gedaan," zuchtte Marga. „Ik zie de dingen fout lopen voor mijn kinderen, maar sta er machteloos tegenover."

„Daarom heeft het ook geen nut om je er zoveel zorgen

over te maken," merkte Froukje verstandig op. „Dat helpt immers toch niet. We krijgen allemaal op onze beurt te maken met verdriet, problemen en tegenslagen. Dat hoort bij het leven."

„Dat klinkt fatalistisch."

„Zo is het niet bedoeld. Ik kan ook enorm in de put zitten, maar dat lost niets op. Er spelen nu een aantal problemen tegelijk binnen ons gezin, maar we hebben ook genoeg periodes dat alles gladjes verloopt en er geen vuiltje aan de lucht is."

„Zoals het laatste jaar, ja," knikte Marga. „Misschien is het juist allemaal wel te goed gegaan en betalen we daar nu de prijs voor."

„Oei, wat zeg je dat somber. Kop op, mam, we komen er heus allemaal wel weer doorheen. We kunnen onmogelijk allemaal voortdurend wensloos gelukkig zijn. Dat zou trouwens ook niet goed zijn, want dan waardeer je de goede dingen van het leven niet meer."

„Maar jij bent toch wel gelukkig?" peilde Marga. „Het gaat toch goed tussen jou en Leen?"

„Boven verwachting zelfs," lachte Froukje. „Ik begrijp zelf niet waarom ik de boot zo lang heb afgehouden, want Leen is echt een lot uit de loterij. Het enige wat ik te klagen heb, is dat we weinig tijd voor elkaar hebben momenteel. De afgelopen weken waren natuurlijk erg druk in het hotel met alle voorbereidingen en we zijn heel veel bij Noortje. Die moet af en toe haar hart kunnen luchten en dat doet ze bij ons. Liever gezegd, bij Leen. Met hem kan ze heel erg goed praten."

„Vind je dat niet vervelend?" vroeg Marga voorzichtig, maar Froukje schudde beslist haar hoofd.

„Natuurlijk niet, ik ben blij dat we tenminste iets voor haar kunnen doen, al bestaat mijn aandeel slechts uit het uitlenen van mijn vriend."

„Oma, jouw beurt!" onderbrak Damian hun gesprek. Hij hield een doos met gezelschapsspelletjes voor Marga omhoog. „Jij hebt nog helemaal geen spelletje met ons gedaan en je had het wel beloofd. Zullen we mens-erger-je-niet spelen?"

„Mens-erger-je-kapot, zul je bedoelen," lachte Marga terwijl ze een gezicht trok naar Froukje.

„Oma, kom nou," drong ook Charity ongeduldig aan. „Ik mag met rood."

„Sorry jongens, maar oma heeft nu even geen tijd. Ik moet de tafel dekken en voor het eten zorgen. Straks, oké?"

„Dan is het veel te laat," pruilde Damian. „Papa zei tegen mama dat we meteen na het eten naar huis gaan, omdat hij geen zin heeft om nog langer gezellig te moeten doen."

„Ja, en hij wil niet met de poppenkast spelen," voegde Charity daaraan toe. „Maar jij hebt toch helemaal geen poppenkast, oma?" Ze keek van de één naar de ander, niet begrijpend waarom het ineens zo stil werd en niemand haar vraag beantwoordde.

Anneke zat er doodongelukkig bij en Sjoerds gezicht kleurde donkerrood. Iedereen begreep natuurlijk onmiddellijk wat er met de poppenkast bedoeld werd. „Jullie moeten je niet overal mee bemoeien!" viel hij onredelijk uit.

„Dan moet jij dergelijke dingen niet zeggen als je kinderen je kunnen horen," merkte Froukje terecht op. „Leg dat spel maar neer, jongens. Oma doet met jullie mee en ik ga voor het eten zorgen."

„Dat hoef jij niet te doen," protesteerde Marga meteen.

„Onzin, ik heb twee handen aan mijn lijf, net als de rest. Jij hoeft niet altijd in je eentje alles op je te nemen," verklaarde Froukje. „Je gaat met je kleinkinderen spelen en blijft voor de rest lekker zitten. Wij zorgen voor alles."

„Ik kom je helpen," viel Noortje haar meteen bij.

„Ik ook," zei Lieke.

„Ik doe mee met het spelletje, dan zijn we met zijn vieren," kwam Gerda.

„En ik ben een ster in tafel dekken," lachte Leen in een poging de stemming enigszins te redden.

Iedereen praatte druk over het kleine incident heen en deed alsof er niets aan de hand was. Leen ontfermde zich met Noortje over de grote tafel terwijl Froukje en Lieke in de keuken verdwenen. Marga had wijselijk eten van een traiteur laten komen, dus de voornaamste taak was opwarmen, echt koken was niet nodig.

„Sjoerd stond mooi voor schut," zei Lieke tegen haar zus, ondertussen de oven aanzettend.

„Ja, dat heb je met kinderen, die vertellen alles door in hun onschuld. Eigenlijk vond ik het wel grappig, hoewel de aanleiding natuurlijk minder leuk is. Ik geloof niet dat het echt goed gaat daar."

„Je hoeft alleen maar naar Anneke te kijken om dat zeker te weten. Die operatie heeft er diep ingehakt en eerlijk gezegd geloof ik niet dat ze veel steun krijgt van Sjoerd. Het lijkt wel alsof hij zich constant aan haar loopt te ergeren."

„Hij negeert haar en dat vind ik nog erger. Maar ja, we kunnen ons er moeilijk mee bemoeien als we niet weten wat er aan de hand is. Bovendien kijken wij er alleen maar tegenaan, niet er middenin," merkte Froukje verstandig op.

Ze hield verder haar mond omdat de deur van de keuken

openging en het onderwerp van hun gesprek binnenkwam.
„Kan ik ergens mee helpen?" vroeg Anneke.
„Nee hoor, ga jij maar lekker zitten," antwoordde Froukje
hartelijk.
„Ik word juist gek van dat zitten en nietsdoen," klaagde
Anneke. „Daar word je veel moeier van dan van werken."
„Het eten hoeft alleen maar opgewarmd te worden en dan
kan het op tafel, we staan hier eigenlijk alleen maar een
beetje te kletsen," zei Lieke.
„Over mij en Sjoerd zeker." Anneke's mond vertrok.
„We willen ons er niet mee bemoeien, maar het valt wel
op," zei Froukje voorzichtig. „Kunnen we iets voor jullie
doen?"
Anneke trok met haar schouders, haar gezicht stond afwijzend. „Behalve Sjoerd hersenspoelen zodat hij weer van
me gaat houden?" zei ze cynisch. „Meer kan ik niet bedenken. Ik ben bang dat het gewoon over is. Hij is het zat om
toneel te spelen, dat heb je net van onze kinderen
gehoord."
„Ik geloof er niets van dat Sjoerd niet meer van je houdt,"
zei Lieke beslist. „Dat is niet zomaar over. Wil je niet vertellen wat er aan de hand is?"
Ze keek haar schoonzusje meelevend aan. Anneke's lip tril-
de, haar ademhaling ging hortend en stotend. Langzaam
welden de tranen in haar ogen op, zodat haar ogen rood
werden en vreemd afstaken tegen haar witte gezicht.
„Sinds de baby…," begon ze hakkelend. „Ik wilde eigenlijk
niet, maar toen ging het fout en…" Ze stokte. Kleine zweetdruppeltjes verschenen op haar voorhoofd en ze wankelde.
„Anneke, wat is er?" vroeg Froukje geschrokken. Ze trok
snel een stoel bij en duwde Anneke daarop, ondertussen
Lieke om een glas water vragend.

„Zo benauwd," piepte Anneke. Ze hijgde en greep met twee handen naar haar borst.

Froukje en Lieke keken het verbijsterd en geschrokken aan, niet bij machte om iets te doen op dat moment. Hun voeten leken wel vastgeplakt aan de vloer.

„Haal hulp!" zei Lieke ineens fel. „Dit gaat niet goed."

Froukje rende de keuken uit en botste in de gang tegen Leen op, die haar bij haar schouders vastpakte. „Kom mee," hijgde ze. „Anneke…"

Meer aansporing had Leen niet nodig. Hij gooide de deur van de keuken open en stormde naar binnen, meteen bij Anneke neerknielend.

„Hyperventilatie," constateerde hij. „Blijf rustig, An. Dit voelt heel erg eng, maar er is niets meer aan de hand dan dat je te veel zuurstof opneemt. Rustig ademen, doe maar met mij mee. Ja, zo gaat het goed. Froukje, geef eens een plastic zakje." Terwijl hij tegen Anneke aan bleef praten deed hij het zakje om haar neus en mond en liet haar daarin rustig in- en uitademen.

Langzaam stopte het benauwde gehijg, al bleef Anneke wel trillen. De rest van de familie had inmiddels ook in de gaten dat er iets aan de hand was en iedereen verzamelde zich nu in de keuken, druk door elkaar heen pratend. Sjoerd vloog, gewaarschuwd door Noortje, naar binnen en knielde met een bleek gezicht bij zijn vrouw neer.

„Anneke!" schreeuwde hij. „Wat is er? Wat doe je?"

„Kalmeer een beetje," sprak Leen. „Ze heeft een hyperventilatieaanval. Heel erg vervelend, maar niet gevaarlijk. Ik denk dat alles haar een beetje te veel is geworden."

„Gaat ze niet dood?" vroeg Sjoerd angstig.

„Natuurlijk niet. Het lijkt me overigens wel het beste dat jullie naar huis gaan en je haar in bed stopt. Ze heeft rust nodig nu, zo'n aanval pleegt een behoorlijke aanslag op je gestel."

„Ja, ja, natuurlijk," hakkelde Sjoerd. Hij hielp Anneke overeind en hield haar stevig vast, de angst stond nog steeds in zijn ogen te lezen.

Anneke hoeft zich in ieder geval niet meer af te vragen of hij nog om haar geeft, dacht Lieke ondanks alles licht geamuseerd. Dat was nu wel duidelijk.

Er was ineens een behoorlijke consternatie ontstaan. Damian en Charity, door Marga angstvallig in de kamer gehouden, begonnen te huilen toen ze merkten dat ze zonder eten naar huis moesten.

„Laat ze maar hier," bood Lieke aan. „Dan kunnen ze eten en nemen David en ik ze wel mee naar huis voor vannacht. Zij vinden zo'n onverwachts logeerpartijtje wel leuk en jullie hebben dan even rust."

Sjoerd nam dat aanbod met graagte aan. Tien minuten later vertrokken ze, de rest van de familie met een lichte kater achterlatend.

Zwijgend werd er gegeten. De stemming, die toch al niet optimaal was geweest, was gedrukt. Direct na het eten gingen ook Lieke en David naar huis, met de kinderen en met Gerda, die ze een lift gaven, zodat Barend, Marga, Froukje, Leen en Noortje achterbleven.

„Het is wel een andere kerst dan we ons voorgesteld hadden," zuchtte Marga verdrietig. „Bah, wat vervelend allemaal."

„Wees blij dat het alleen hyperventilatie was, het had ook erger kunnen zijn," probeerde Barend haar onbeholpen te troosten. Hij legde even zijn hand op de hare en knikte haar bemoedigend toe. „Volgend jaar beter, zullen we maar zeggen."

110

„Laten we het hopen. Ik heb een heleboel eten en gebak over," zei Marga.

Ondanks de trieste stemming schoten ze allemaal in de lach.

„Je zegt het alsof je dat voor de volgende kerst wilt bewaren," grinnikte Froukje.

„Ik ga koffie inschenken. Dan nemen we er een stuk taart bij, ben je daar vast vanaf," zei Noortje terwijl ze opstond.

„Zal ik je helpen?" vroeg Froukje loom, maar Noortje wees dat van de hand.

„Ik doe het liever alleen, even bijkomen," zei ze.

In de keuken schakelde ze het koffiezetapparaat aan en staarde daarna door het grote raam naar buiten. Wat een rotdag was het geweest. Vanmorgen had het er allemaal nog wel leuk en gezellig uitgezien, maar onder de oppervlakte rommelde er heel wat. Ze voelde zich beroerd en leeg. Het liefst zou ze nu ook naar huis gaan en haar bed induiken, maar ter wille van haar moeder bleef ze. Als zij nu ook wegging, doofde deze tweede kerstdag helemaal als een nachtkaars en dat vond ze zielig voor Marga. Die had zich zo op de feestdagen verheugd. Noortje legde haar gezicht tegen het koele glas van de ruit en bleef zo staan, diep in gedachten verzonken. Het ontging haar dat het koffiezetapparaat zijn werk allang had gedaan en dat haar overgebleven familieleden zaten te wachten op hun bakje troost.

De eerste kerst zonder Frits was bijna voorbij. Ze had veel aan hem moeten denken deze dagen, maar vreemd genoeg zonder de pijn die ze daarbij verwacht had. Ze probeerde zich voor te stellen hoe de kerstdagen verlopen zouden zijn als hij nog geleefd had, maar daar kon ze zich geen voorstelling van maken. Het had ook geen nut, hij was er niet meer. Frits was definitief verleden tijd en voor het eerst had ze het gevoel dat ze dat accepteerde. Als hij nu nog wel geleefd had, zouden ze samen een lange lijdensweg hebben moeten gaan, besefte ze. Hoe hard ook, ze moest dankbaar zijn dat dat haar bespaard was gebleven. Frits was een dierbare herinnering, iemand die ze nooit meer zou vergeten, maar tevens iemand die geen deel meer uitmaakte van haar leven. Ze hoefde tenminste niet meer machteloos toe te zien dat hij pijn leed, ze hoefde zich geen zorgen meer te maken over zijn gewichtsverlies, ze hoefde hem niet meer te vergezellen naar dokters en hem bemoedigend toe te spreken als hij bang was voor de uitslagen van zijn onderzoeken, ze hoefde niet meer in angst te leven, ze hoefde geen zinloze hoop meer te koesteren. Maar ze zou ook nooit meer zijn armen om haar heen voelen en de smaak van zijn lippen proeven…

Ondanks haar stoere gedachten stroomden de tranen plotseling over Noortjes wangen. Haar gevoelens waren zo tegenstrijdig, zo dubbel. Ze miste Frits, maar tegelijkertijd voelde ze opluchting omdat de onzekerheid en de spanning weg waren.

„Gaat het?" hoorde ze ineens zacht achter zich.

Ze draaide zich met een ruk om en botste daarbij tegen Leen aan, die vlak achter haar stond.

„O eh, sorry," stotterde ze, snel haar gezicht afvegend met de rug van haar hand.

„Je hoeft je niet te verontschuldigen. Je hebt het helemaal gehad, hè? Wil je niet liever naar huis toe?" vroeg Leen begrijpend.

„Eigenlijk wel, ja," gaf Noortje toe.

„Doe dat dan gewoon. Aan deze kerst valt toch niet veel meer te verpesten, dus schuldig hoef je je niet te voelen."

„Het gaat wel weer," zei Noortje nerveus. „Wil je even opzij gaan, dan kan ik de koffie inschenken."

„Daar wachten ze maar even op," zei Leen beslist. „Je hoeft je voor mij niet groot te houden, Noor, dat weet je toch? Als je behoefte hebt om te huilen, te schreeuwen of te schelden, doe het dan. Niemand neemt het je kwalijk dat je verdriet hebt en dat je je ongelukkig voelt."

„Maar dat is het nu juist! Ik voel me helemaal niet ongelukkig of zwaar verdrietig," viel Noortje uit. „Iedereen ziet me in die rol omdat ik nu eenmaal kortgeleden mijn partner ben verloren, maar zo is het niet. Natuurlijk mis ik Frits, maar er zit ook een andere kant aan dat gevoel. Opluchting, bevrijding."

„En daar voel je je dan weer schuldig over, vandaar die tranen," begreep Leen meteen. „Ach lieverd, wat maak je het jezelf toch moeilijk. Je hoeft niet verplicht verdriet te hebben omdat iedereen dat van je verwacht. Het is allemaal al moeilijk genoeg zonder dat je omgeving je op je huid zit. Met Frits ben je nu eenmaal ook van een zware last verlost. Dat klinkt keihard, maar is de simpele realiteit. Je moet het een plek geven en het achter je laten en volgens mij zit je nu midden in dat verwarrende proces. Maar heus, je bent sterk genoeg om het te doorstaan. Je bent al veel verder in je verwerking dan je zelf denkt, omdat je het idee hebt dat het niet zo snel mag gaan. Vergeet echter niet dat je naar Frits' overlijden toe hebt geleefd, eigenlijk was iedere ontmoeting tussen jullie tegelijk een beetje een afscheid."

„Zou je denken?" snifte Noortje. „Ik verwijt het mezelf dat ik niet meer verdriet heb. Frits is jarenlang alles voor me geweest, ook toen we niet samen waren."

„En in die tijd heb je hem geïdealiseerd en viel de werkelijkheid dus dubbel tegen. Weet je wat ik denk? Dat je nog steeds houdt van de Frits die hij vroeger was, maar niet meer van de Frits van de laatste tijd, omdat die te veel problemen en zorgen met zich meebracht."

„Misschien wel, ja," gaf Noortje toe. „Hij was ontzettend veranderd, maar gezien de omstandigheden vond ik dat niet vreemd. Ik accepteerde het gewoon. Het was natuurlijk ook niet niks wat hij mee had gemaakt in de periode dat we uit elkaar waren."

„Denk je niet dat je misschien medelijden verwarde met liefde?" peilde Leen. „En dat jullie nieuwe relatie voornamelijk gebaseerd was op de gevoelens van vroeger? Misschien sta ik hier nu wel vreselijk te raaskallen, maar zo komt het op me over. Je had een bepaald beeld van Frits en na jullie hernieuwde kennismaking heb je dat niet bijgeschaafd. Daar heb je ook niet veel tijd voor gehad."

„Ik weet het niet meer," zuchtte Noortje verdrietig. „Echt, ik heb ondertussen geen flauw idee meer wat ik voel, niet voel of hoor te voelen. Het is zo verwarrend en ongrijpbaar." Hoewel ze het niet wilde en ze met alle macht probeerde ze terug te dringen, voelde ze weer de tranen in haar ogen springen. Ongeduldig veegde ze ze weg. Verdorie, ze had de laatste twee weken meer gejankt dan in de tweeëntwintig jaar hiervoor, ze werd er gek van.

„Hou je maar niet in," klonk Leens geruststellende stem in haar oor. „Laat je gaan en gooi het eruit, dat is beter dan het op te kroppen."

Meer aansporing had Noortje niet nodig. Met haar hoofd tegen zijn schouder aan en Leens armen beschermend om haar heen, barstte ze uit in een wilde huilbui. Op dat moment ging de deur open en kwam Froukje kijken waar haar vriend en haar zus bleven. Het duurde wel erg lang voor ze die koffie in hadden geschonken, vond ze. Bevreemd staarde ze naar de innige houding van Leen en Noortje, maar Noortjes harde snikken verklaarde veel. Ze hoorde haar zus niet eens binnenkomen. Leen zag haar wel, maar maakte geen aanstalten om Noortje los te laten. Over haar schouder heen legde hij zijn vinger op zijn mond en beduidde Froukje met een veelzeggend gebaar dat ze beter weg kon gaan. Froukje knikte begrijpend en trok geluidloos de deur achter zich dicht. Op de gang bleef ze even peinzend staan. Arme Leen, hij trof het vandaag niet met haar familieleden! Eerst Anneke en nu Noortje weer.

Leen vond het echter allesbehalve een probleem om Noortje zo stevig in zijn armen te houden, iets wat hij met een schok besefte. Het voelde niet vreemd aan, eerder heel vertrouwd en prettig. Hij weigerde daar verder over na te denken.

Na een paar minuten bedaarde Noortje enigszins. Zonder schaamte hief ze haar betraande gezicht naar hem op, waardoor hun ogen ineens heel vlak bij elkaar waren en ze elkaar ademloos aanstaarden. Heel even leek er elektriciteit tussen hen over te springen, toen vermande Noortje zich.

„Bedankt voor de schouder," zei ze beverig, haar ogen afwendend. „Dan ga ik nu toch eindelijk die koffie maar eens inschenken, ze zullen binnen niet weten waar we blijven."

Zwijgend keek Leen toe hoe ze een dienblad pakte en druk begon te redderen met kopjes, suiker en melk, zonder hem aan te kijken. Hij haalde een paar keer diep adem om zichzelf weer onder controle te krijgen en vroeg zich verbijsterd af wat hem overkwam.

Maar waarschijnlijk kwam het gewoon door de intensiteit

van het moment, stelde hij zichzelf gerust. Hij kon er nu eenmaal niet tegen als iemand verdrietig was, dan voelde hij zich altijd heel erg betrokken met die persoon. Hij hield van Froukje en moest zich geen gekke dingen in zijn hoofd halen.

HOOFDSTUK 9

Het werd niet laat die avond. Na de koffie togen zowel Leen en Froukje als Noortje naar hun eigen woningen. Omdat Noortje met haar eigen wagen was gekomen, namen ze op de oprit afscheid van elkaar. Barend en Marga zwaaiden hun kinderen na, allebei met een kater van de afgelopen dag.

Zwijgend bracht Leen Froukje naar haar riante villa in een buitenwijk van de stad. Ooit was ze daar met haar toenmalige vriend Tony ingetrokken, maar de laatste tweeënhalf jaar woonde ze er alleen. Misschien kwam daar binnenkort wel verandering in, mijmerde Froukje in stilte. Nu had ze Leen, ze was niet langer vrijgezel. Hun relatie was nog te vers om al over samenwonen of trouwen te praten, maar de toekomst zag er veelbelovend uit. In gedachten zag ze hen samen het huis al opnieuw inrichten en Leens spullen een plekje geven. Nu was het daar nog te vroeg voor, maar ooit zou het zover komen, daar was ze van overtuigd. Ze verloor zich in roze dromen terwijl Leen de auto trefzeker door de stad heen stuurde. Een toekomst samen met Leen, wie had dat enkele maanden geleden durven denken? Ze had hem altijd heel graag gemogen, maar verder waren haar gevoelens nooit gegaan.

Froukje keek even opzij naar het vertrouwde profiel van Leens gezicht en glimlachte stil voor zich heen. Ze moesten elkaar eigenlijk nog helemaal ontdekken en dat was een verkenningstocht waar ze naar uitkeek. Ze liep nooit zo hard van stapel in relaties, ging ervan uit dat iets wat langzaam opbloeide een langer leven beschoren was dan een fel oplaaiend vuur. Ze kon zich helemaal voorstellen dat zij en Leen samen oud zouden worden, net als haar ouders.

Misschien zonder veel hoogtepunten, maar wel gelukkig en blij met elkaar. En was dat niet het hoogste wat je binnen een relatie kon bereiken, dat je blij was met elkaar? Ze had bij vriendinnen vaak genoeg gezien dat plotseling heftige relaties even snel weer doofden als ze begonnen waren en de partners elkaar niets meer te vertellen hadden of elkaar onverschillig lieten. Zo wilde zij het niet. Leen en zij hadden nu een paar maanden iets samen en nu pas voelde ze dat het tijd werd voor de volgende stap binnen hun relatie. De meeste mensen zouden haar tegenwoordig voor gek verklaren dat ze zo lang wachtte, besefte Froukje, maar dat was iets waar ze zich weinig van aantrok. Zij leidde haar leven zoals zij het wilde en deelde niet het principe dat degene met de grootste mond wel gelijk zou hebben.

„We zijn er," meldde Leen overbodig terwijl hij de wagen voor de deur parkeerde. Hij zette de motor uit en wendde zich tot Froukje. „The end of a perfect day," zei hij met galgenhumor.

„Ja, echt jammer dat de dag voorbij is," lachte Froukje met hem mee. „Arme schat, je trof het niet vandaag. Heb je niet vreselijk veel spijt dat je niet naar je eigen ouders bent gegaan?"

„Absoluut niet. Ondanks alles ben ik blij dat ik erbij was," verzekerde Leen haar.

„Hm, vind je het heel gek als ik dat niet geloof? Je leek wel zo'n eerste hulparts vandaag. Eerst met Anneke, toen weer met Noortje. Je hebt het maar druk met mijn familie."

„Ik ben nu eenmaal een redder in de nood," zei Leen met zelfspot. „Maar deze dappere held verlangt nu wel naar zijn bed. Welterusten schat, ik zie je morgen." Hij boog zich naar Froukje toe om haar een zoen te geven. Zij pakte zijn gezicht met twee handen vast en kuste hem innig terug.

„Weet je zeker dat je naar huis wilt?" fluisterde ze in zijn oor. „Of ga je nog even met mij mee naar binnen voor een... eh, een slaapmutsje?"

Leen hield even hoorbaar zijn adem in. Dit was de eerste keer dat Froukje een toenaderingspoging in die richting deed en op dit moment verwachtte hij dat absoluut niet.

„Nu niet," antwoordde hij snel, zonder dat hij zelf goed wist waarom. Het leek wel of die woorden hem vanzelf ingegeven werden. „Het spijt me, maar het is zo'n vreemde dag geweest, mijn hoofd staat er echt niet naar."

„Laat maar, je hoeft je niet te verontschuldigen," zei Froukje met een flauwe glimlach. Teleurgesteld draaide ze haar gezicht weg, omdat ze niet wilde laten zien hoe hard zijn weigering bij haar aangekomen was. „Dan ga ik maar. Tot morgen."

Zonder om te kijken stapte Froukje uit en liep haar huis binnen. Ze draaide zich niet eens meer om om naar Leen te zwaaien, iets wat een vaste gewoonte was geworden. Eenmaal binnen leunde ze zwaar tegen de deur aan. Haar hoofd bonkte en ze was duizelig. Ze vertikte het om te huilen, maar Leens negatieve antwoord deed haar meer dan ze zichzelf wilde bekennen. Ze voelde zich gewogen en te licht bevonden. Afgewezen. Ze was niet iemand die snel met dergelijke voorstellen kwam, dat deed ze alleen als ze zeker van haar zaak was. Dat was ze nu ook geweest en toch was zijn antwoord nee geweest. Waarom? Froukje voelde zich tot in haar tenen vernederd.

Leen was direct weggereden, maar eenmaal buiten de oprit van Froukjes huis parkeerde hij zijn auto langs de kant van de weg. Zijn handen trilden en hij vertrouwde zichzelf op dat moment niet in het verkeer. Wat bezielde hem in vredesnaam? Froukje, de vrouw waar hij van hield, had hij afgewezen zonder zelf te weten waarom. Als ze dit voorstel een week geleden gedaan had, zou hij geen seconde geaarzeld hebben en nu had hij doodleuk geweigerd! En als hij nu nog een reden kon bedenken...

Leen leunde met zijn armen tegen het stuur, zijn gezicht verborg hij in zijn handen. Had hij nu echt alleen maar geweigerd omdat het zo'n rare, emotionele dag was geweest, het eerste wat in hem opgekomen was na Froukjes vraag? Of zat er iets anders achter, iets wat hij niet eens durfde te denken? Het verdrietige gezicht van Noortje verscheen op zijn netvlies en hoe hij het ook probeerde, dat beeld wilde niet meer verdwijnen. Toen hij haar die avond in zijn armen had gehouden bij haar wilde huilbui, was hij overvallen door een vreemde, intense warmte. Hij had zich totaal niet opgelaten gevoeld, eerder vereerd omdat hij diegene was die haar mocht troosten. Wat gebeurde er toch met hem? Froukje was zijn vriendin en Noortje slechts zijn aanstaande schoonzus, dat moest hij goed voor ogen houden.

Aarzelend keek Leen op zijn horloge. Hij stond hier pas een paar minuten, al leek het dan veel langer. Hij kon nog terug. Hij kon zijn wagen keren, naar Froukje rijden, haar in zijn armen nemen en haar verzekeren dat hij niets liever wilde dan de nacht bij haar doorbrengen. Waarom deed hij dat dan niet? Hij probeerde zich Froukjes gezicht voor de geest te halen, maar dat van Noortje bleef er hardnekkig tussen schuiven. Noortje, met haar verdrietige ogen, haar bleke wangen en haar schuldgevoel ten opzichte van Frits. Maar ook Noortje die moedig haar leven had opgepakt na de begrafenis van haar vriend, die nooit haar gevoel voor humor verloor en die een kracht bezat waar menig ander jaloers op was. Noortje, Noortje, Noortje! Vertwijfeld bekende Leen zichzelf dat hij alleen nog maar aan Noortje kon denken. Al vanaf het moment dat het bericht van Frits' dood bekend was, was hij in gedachten alleen nog maar bezig geweest met hoe Noortje zich moest voelen en hoe hij Noortje kon helpen dit verdriet te dragen. Hij had zich opgeworpen als redder in de nood, rots in de branding. Bij hem kon Noortje terecht met haar verdriet en verwarde gevoelens. Iedereen prees hem om de manier waarop hij haar opving. Froukje bewonderde hem om het geduld dat hij opbracht tegenover haar zusje. En nu bleek zijn gedrag alleen maar eigenbelang te zijn! Leen lachte even bitter, het klonk hard en hol door de auto heen. Op dat moment voelde hij zich een schoft, iemand die zijn vriendin bedroog met haar zus. Het soort man dat hij altijd veroordeeld had. Ook al was er niets gebeurt tussen Noortje en hem, hij was bepaald niet trots op zichzelf. Alleen al aan Noortje denken voelde als verraad tegenover Froukje.

Wat moest hij hiermee? Wat voor waarde moest hij aan deze verwarde, tegenstrijdige gevoelens toekennen? Froukje was al ruim een jaar zijn stille liefde, lang voordat ze er eindelijk eens in had toegestemd om met hem uit te gaan. Hun eerste afspraakje was tot nu toe de mooiste dag uit zijn leven, zo blij en gelukkig was hij dat hij haar eindelijk gestrikt had. Dat kon toch niet zomaar over zijn? Een maand geleden zou hij een gat in de lucht gesprongen hebben bij Froukjes toenaderingspogingen, nu kon hij niet anders doen dan haar voorstel afwijzen omdat het simpelweg niet goed voelde om nu de liefde met haar te bedrijven.

Leen kwam er niet uit. Na ruim een halfuur piekeren startte hij zijn wagen weer en reed langzaam weg. Het had geen nut om hier nog langer te blijven staan, daar veranderde hij niets mee. Waarschijnlijk waren zijn gevoelens voor Noortje gewoon een bevlieging, een gevolg van het feit dat hij zoveel tijd met haar doorbracht en zoveel met haar praatte. Hij had bewondering voor de manier waarop ze met haar verdriet omging en hij had respect voor haar kracht. Misschien verwarde hij dat met verliefdheid. Hij wist het niet. De enige manier om daarachter te komen, was de tijd zijn werk te laten doen, dacht hij. Op dit moment lag alles binnen in hem te veel overhoop om een beslissing te nemen. Op stel en sprong breken met Froukje vanwege zijn chaotische gemoedstoestand wilde hij niet, aan de andere kant wilde hij haar ook niet aan het lijntje houden. Hij kon even niets anders doen dan afwachten hoe zijn gevoelens zich zouden ontwikkelen. Misschien dacht hij er na een goede nachtrust wel heel anders over dan nu, na deze vreemde dag. Hij had vandaag zoveel emoties te verwerken gekregen dat het eigenlijk ook niet vreemd was dat hij met zichzelf overhoop lag.

Onbewust stuurde Leen zijn wagen in de richting van Noortjes flat. Langzaam reed hij de rustige straat door, ondertussen spiedend naar haar ramen tussen de vele andere. Het huiskamerlicht was uit, maar het schemer-lampje in haar slaapkamer brandde nog, zag hij. Heel even aarzelde hij, met zijn voet boven de rem. De gedachte aan Noortje in bed benam hem bijna de adem. Zou hij aanbel-len en met haar over zijn gevoelens praten? Misschien wist Noortje hem ervan te overtuigen dat het niets voorstelde, dat hij het zich alleen maar verbeeldde omdat zij zich aan hem had vastgeklampt in een moeilijke periode. Hij pro-beerde zich voor te stellen hoe ze de deur zou openen en hem lachend zou uitnodigen om binnen te komen, ook al was het inmiddels bijna nacht. Het zweet brak hem uit.

Nee, dit moest hij zeker niet doen, niet in deze toestand. Plotseling drukte zijn voet het gaspedaal diep in en met een onverantwoordelijke vaart scheurde hij de straat uit.

Noortje, wel al in bed maar nog klaarwakker, spitste haar oren bij het lawaai in het verder zo stille straatje. Dat geluid klonk bekend, het leek Leens auto wel. Zonder zich te bedenken sprong ze haar bed uit en tuurde door de lamellen naar buiten. Ze zag nog net twee rode achterlichten verdwijnen, het was te donker om te kunnen zien wat voor auto het was. Maar natuurlijk was het Leen niet geweest. Wat zou die hier op dit tijdstip nu moeten doen? Waarschijnlijk was hij nu bij Froukje thuis en zaten ze samen voor de open haard met een glas wijn. Genietend van het leven en van elkaar. Een pijnlijke steek trok door Noortjes hart heen bij dit beeld. Zij, die nooit afgunstig was en iedereen altijd van alles gunde, ervaarde voor het eerst wat jaloezie was. Ze maakte zichzelf wijs dat het niets met Leen te maken had, dat ze gewoonweg moeite had met het geluk van anderen omdat haar eigen geluk haar afgenomen was, maar diep in haar hart wist ze wel beter. Wat ze voelde had niets meer met Frits te maken, het ging om Leen. De vriend van haar zus en daardoor dus automatisch verboden gebied.

Omdat ze toch niet kon slapen schonk Noortje iets te drinken in en ging daarmee op de bank zitten. Somber staarde ze voor zich uit. Het begon erop te lijken dat er maar heel weinig geluk voor haar was weggelegd op het gebied van de liefde. Eerst had Frits hun relatie beëindigd omdat hij zich nog niet wilde binden, daarna was hij overleden en nu voelde ze een onmogelijke liefde voor haar aanstaande zwager. Een man die bezet en dus onbereikbaar was. Sinds haar huilbui van die middag voelde ze nog steeds Leens armen om zich heen. Ondanks haar verdriet van dat moment was ze eventjes gelukkig geweest met het heerlijke gevoel dat zijn aanwezigheid haar gegeven had en sindsdien was hij geen seconde meer uit haar gedachten geweest. Maar wat kon ze met deze gevoelens? Niets, helemaal niets. Leen hoorde bij Froukje en nog afgezien van het feit dat hij haar gevoelens niet beantwoordde, zou Noortje haar zus geen verdriet kunnen doen. Het was simpelweg onmogelijk. Ze kon niet anders doen dan hopen dat haar gevoelens weer zouden verdwijnen, anders zou ze er serieus over na gaan denken om werk buiten het hotel te zoeken. Ze kon het niet verdragen om op deze manier iedere dag met Leen geconfronteerd te worden, zonder de hoop op ooit iets meer dan slechts een familierelatie die hen bond.

Froukje, Leen en Noortje waren niet de enigen van de familie Nieuwkerk die voorlopig de slaap niet konden vatten, ook Sjoerd en Anneke waren nog lang wakker. Na hun thuiskomst was Anneke direct naar bed gegaan, maar nu, na een paar uur, lag ze daar nog steeds te woelen. Sjoerd was een paar keer komen kijken, maar tijdens die momenten deed ze alsof ze sliep. Ze voelde zich te beroerd om een gesprek met haar echtgenoot aan te gaan. Sjoerds houding de afgelopen weken had haar diep gegriefd. Ook al kon ze hem verstandelijk bezien niets kwalijk nemen, haar gevoel reageerde anders. Het verlies van hun kindje had haar behoorlijk aangegrepen en inwendig schreeuwde ze om steun en begrip. Dit verdriet zouden ze samen moeten dragen, zonder verwijten naar elkaar te maken. Helaas leek dat onmogelijk. Sinds de dag dat ze geopereerd was, negeerde Sjoerd haar. Hij zei alleen het hoogstnodige tegen haar, voor de rest sloot hij zich op in zichzelf. Uitbundig lachen, één van de dingen waar Anneke destijds voor gevallen was bij hem, had ze hem sinds die dag niet meer horen doen. Het deed haar pijn om hem zo te zien, maar tegelijkertijd was het nog veel pijnlijker dat hij haar gevoelens niet serieus nam. Haar verdriet bestond niet voor Sjoerd. Hij was diegene die het zwaar had, diegene met verdriet, niet zij. Zij had dit kind nooit gewild en was blij dat ze er op deze manier vanaf gekomen was. Anneke had een paar keer geprobeerd om Sjoerd duidelijk te maken hoe ze zich voelde, maar was daarbij op een muur van afweer gestuit. Hij wilde het niet horen, was er vast van overtuigd dat het niet waar was wat ze zei. Anneke werd heen en weer geslingerd tussen gevoelens van medelijden voor haar man omdat hij het er zo duidelijk moeilijk mee had en gevoelens van kwaadheid omdat hij haar in de steek liet nu ze hem zo hard nodig had. Ze wist zelf niet welke de boventoon voerde. De enige zekerheid die ze had, was dat het zo niet verder kon. Als deze impasse nog lang duurde, zou dat het einde van hun huwelijk betekenen.

Om middernacht hield ze het niet langer uit. Ze stond op, trok een duster aan en liep naar beneden. Haar voetstappen werden gedempt door de hoogpolige vloerbedekking, zodat Sjoerd haar niet hoorde. Vanuit de deuropening van de huiskamer zag ze hem op de bank voor de open haard zitten. Met een trieste blik staarde hij naar de oplaaiende vlammen. In zijn hand had hij een whiskyglas, dat half gevuld was. De open fles stond voor hem op de tafel, maar Anneke zag met één oogopslag dat die nog bijna vol was. Zo te zien had Sjoerd alleen maar wat ingeschonken, maar er nog niet van gedronken. Gelukkig maar. In deze stemming zou alcohol waarschijnlijk alleen maar averechts werken. In de jaren dat ze bij elkaar waren, had ze Sjoerd nog niet vaak dronken meegemaakt, maar de keren dat het voorgekomen was, was er geen zinnig woord met hem te wisselen geweest.

„Sjoerd," zei ze zacht.

Hij schrok op, zette het glas met een klap op de salontafel en kwam naar haar toe. „Lieverd, ben je wakker? Hoe voel je je nu?" informeerde hij bezorgd.

Verbaasd keek ze hem aan, ze durfde de blijdschap die bezit van haar begon te nemen, veroorzaakt door de liefdevolle klank in zijn stem, nog niet toe te laten.

„Goed," antwoordde ze kort. „Al verbaast het me dat jij daar blijkbaar belangstelling voor hebt. Ik voel me al weken beroerd zonder dat je daar oog voor had."

„Dat spijt me. Echt. O, Anneke…" Hij pakte haar vast en verborg zijn gezicht in haar haren. „Ik ben zo ontzettend bang geweest dat je dood zou gaan," bekende hij. „Mijn hele wereld leek in te storten toen jij daar in die keuken naar lucht zat te happen. Ineens was niets meer belangrijk. Ik hou van je. Ik hou zo ontzettend veel van je, ik zou het niet kunnen verdragen als er iets met je gebeurt."

„Ik hou ook van jou, dat weet je toch," zei Anneke ontroerd. „Waarom maken we het elkaar dan steeds zo moeilijk?"

„Ik weet het niet. Ik weet alleen dat ik je niet kwijt wil, ondanks alles wat er in de afgelopen jaren voorgevallen is. Onze basis was verkeerd en op de één of andere manier blijven we fouten maken, maar sinds vanmiddag weet ik absoluut heel zeker dat ik niet zonder jou kan en wil leven. Het idee dat ik je zou kunnen verliezen was een nachtmerrie."

„Maar ik ben er nog," zei ze zacht.

„Gelukkig wel." Deze verzuchting kwam echt uit de grond van zijn hart en gaf Anneke een warm gevoel. Het was nog niet over tussen hen, dat was wel duidelijk. Ze leken ondertussen wel het schoolvoorbeeld van een stel dat niet met en niet zonder elkaar kon. Steeds als ze dacht dat niets hun relatie meer kon redden, bleek toch weer hoeveel ze van elkaar hielden. Iedere keer waren ze allebei bereid om ervoor te vechten, tot nu toe steeds met resultaat. Het was niet altijd even makkelijk, maar wel de moeite waard. De goede periodes waren altijd echt goed, voor de volle honderd procent. Daarom kon ze het ook steeds weer opbrengen om ervoor te gaan.

„We moeten praten," zei Anneke.

„Praten? Ik weet iets veel beters," mompelde Sjoerd. Zijn lippen tastten haar gezicht af.

„Niet nu, Sjoerd. Doe even serieus."

„Ik ben serieus," protesteerde hij. „Praten is iets wat we ons hele leven nog kunnen doen."

„Vrijen ook," meende Anneke echter nuchter. „Ik meen het. De afgelopen weken waren een nachtmerrie, ik kan nu niet zomaar met je naar bed gaan en net doen alsof er niets aan de hand was. Zo werkt dat bij mij nu eenmaal niet."

„Ik heb toch gezegd dat het me spijt?"

„Ja, en ik ken je ook goed genoeg om te weten dat je dat ook echt meent, maar dat wil niet zeggen dat ik alles op slag van me af kan zetten. Je hebt geen idee hoe ik me de laatste tijd gevoeld heb."

„Vertel het me dan." Met zijn armen om haar heen leidde Sjoerd Anneke naar de bank, waar ze dicht tegen elkaar aan gingen zitten. Anneke was blij dat hij haar serieus nam en niet verder aandrong, want dat zou waarschijnlijk een nieuwe ruzie tot gevolg hebben gehad.

„Het leek alsof ik ronddwaalde in een dichte, ondoordringbare mist," vertelde ze, moeizaam naar woorden zoekend. „Niet alleen door het verlies van ons kindje en de lichamelijke gevolgen daarvan, maar zeker ook door jouw houding. Ik stond alleen in mijn verdriet."

„Dat is niet waar," onderbrak Sjoerd haar. „Je weet hoe graag ik nog een kind wilde, juist omdat het zo goed ging tussen ons en we het ons deze keer wel financieel kunnen veroorloven. Toen ik hoorde dat het mis was, dacht ik dat ik gek werd van verdriet. Voor mannen ligt het anders, dat weet ik wel, maar ik vond het echt vreselijk."

„Ik ook. Dat was nu juist het probleem, Sjoerd. Ik vond het ook vreselijk, maar dat telde niet. Volgens jou mocht en kon ik niet verdrietig zijn, omdat ik niet vanaf het allereerste moment juichend gelukkig was met deze zwangerschap."

„Dat is erg zwart-wit gesteld. Jij wilde een abortus."

„Die mogelijkheid heb ik overwogen, meer niet. De zwangerschap overviel me. Ten eerste omdat ik er nooit bij stilgestaan had, ten tweede omdat het allemaal zo lekker liep. Ik was verward en wist niet wat ik moest doen. De gedachte aan een kindje erbij benauwde me, ik zag niet voor me hoe dat allemaal moest gaan. Maar die gevoelens lagen achter me op het moment dat het misging, dat moet je geloven. Na ons gesprek daarover stond ik nog steeds niet te juichen, maar ik had het geaccepteerd. Na die operatie besefte ik pas hoeveel ik al van dit kind hield."

„Het zou prettiger geweest zijn als je je dat van tevoren had gerealiseerd," zei Sjoerd wrang.

„Dat bedoel ik overigens niet als verwijt, maar ik heb het je heel erg kwalijk genomen dat je niet blij was met een baby van mij. Alsof ik persoonlijk door je werd afgewezen."

Geschrokken keek Anneke hem aan. „Heb jij dat zo gevoeld?" fluisterde ze.

Sjoerd knikte. „Ja. Ik heb vele fouten gemaakt tijdens ons huwelijk, maar we waren opnieuw begonnen en je had het me vergeven. Daar was ik gelukkig mee, het verleden was afgesloten. Een mooier nieuw begin dan met een baby kon ik me niet voorstellen, tot jouw reactie me wakker schudde. Voor jou hoefde het niet. Bij mij zette het idee zich vast dat je mij dus ook niet wilde zolang je ons kind niet geaccepteerd had."

„Dat had helemaal niets met elkaar te maken. Juist omdat ik zo gelukkig was met jou vond ik het eng om weer iets te veranderen. Waarom heb je nooit gezegd hoe je je voelde?" vroeg Anneke.

„Ik kon het niet onder woorden brengen. Bovendien voelde ik me nog steeds schuldig. Het bijna mislukken van ons huwelijk was mijn schuld."

„Dat is niet waar," meende Anneke beslist. „Daar waren we al over uitgepraat, dat lag aan ons allebei. O Sjoerd, we leren het ook nooit, hè? We moeten blijven praten over onze gevoelens, ook, en juist, als we denken dat de ander het niet begrijpt. Dat zou ons allebei een hoop ellende besparen."

„Ooit komen we er nog wel achter hoe het moet," zei Sjoerd optimistisch terwijl hij haar opnieuw in zijn armen nam. „Als we oud, grijs en stram zijn waarschijnlijk."

„Ach, beter laat dan nooit," grinnikte Anneke alweer. Er was een enorme last van haar afgevallen door dit ene gesprek. Wat er ook allemaal meespeelde, Sjoerd hield nog steeds van haar, dat was het belangrijkste. En zij van hem.

„En nu?" informeerde Sjoerd terwijl zijn hand onder haar duster verdween en zachtjes haar blote huid streelde.

„Gaan we op herhaling? Laten we alle voorbehoedsmiddelen voor wat ze zijn en kiezen we opnieuw, bewust, voor een kind erbij? Ik zou het geweldig vinden, dat weet je."

„Lieve schat, als je me op deze manier iets vraagt kan ik je niets weigeren," kreunde Anneke terwijl ze het puntje van zijn kin zoende.

„O ja? Kom hier dan." Plagend trok hij haar ceintuur los. „Deze avond zijn we voor een keertje kinderloos en daar moeten we van profiteren. We zullen Damian en Charity later vertellen dat we ze speciaal een avondje uitbesteed hebben om een broertje of een zusje voor ze te maken."

„Ze hebben anders nog steeds liever een hond," lachte Anneke.

Dat was het laatste wat ze voorlopig uit kon brengen, want Sjoerd sloot haar lippen met een innige kus. Ze liet zich meevoeren op de hartstocht die bezit nam van haar lichaam. Het was al zo lang geleden, ze verlangde intens naar haar echtgenoot. Heel even kwam de gedachte bij haar op dat dit niet klopte, dat ze nog niet toe was aan een nieuwe zwangerschap, maar die verdrong ze op het moment dat Sjoerd bezit nam van haar lichaam. Daar konden ze altijd nog over praten, nu was hun liefde belangrijker. Na alle ellende was het heerlijk om weer zo samen te kunnen zijn, zo intiem en vertrouwd. De rest was van later zorg. Ze zou heus niet onmiddellijk zwanger raken.

HOOFDSTUK 10

Tegen de verwachtingen in hadden David en Lieke een gezellige avond met de kinderen van Sjoerd en Anneke. Hun ruzie van die ochtend was naar de achtergrond geschoven nu ze iets anders hadden om hun aandacht op te richten. Nadat ze Damian en Charity gerustgesteld hadden wat betreft de gezondheid van hun moeder, kwam Damian weer met zijn onafscheidelijke spelletjesdoos aanzetten. Hij had hem pas gekregen voor zijn verjaardag en sjouwde de doos overal mee naartoe.

„Nou vooruit, even dan," zei David beslist. „Wat wil je doen?"

„Dammen," antwoordde Damian enthousiast.

„Dat gaat niet met zijn vieren. Memory?" stelde David voor. Damian knikte. „Wat is dammen eigenlijk?" vroeg hij toen. David schoot in de lach. „Dat leg ik je nog wel eens een keer uit als er geen meisjes bij zijn," zei hij met een plagende blik op Lieke.

„Poeh, ik lust je anders rauw, ik weet zeker dat je van me verliest," reageerde die meteen.

„Dat proberen we straks wel uit, als de kinderen op bed liggen," beloofde David haar.

Samen met Damian en Charity legde hij de kaartjes, die voorzien waren van vrolijke sprookjesfiguren, omgekeerd op de tafel terwijl Lieke voor het hele span wat te drinken inschonk en een schaal chips neerzette. Ze hadden wel net gegeten, maar ach, wat lekkers hoorde erbij, oordeelde ze. De kinderen hadden overigens geen last van een overgevulde maag. De schaal was in een mum van tijd leeggegeten en Damian beweerde zelfs dat hij nog steeds honger had.

„Dan zal ik een boterham voor je maken," zei Lieke ernstig.

„Neehee, honger in chips," zei hij langgerekt.

„Dat is geen honger, dat is lekkere trek. Als we daaraan gaan beginnen, ben jij morgen ziek in plaats van mama, dus dat zullen we maar niet doen."

Damian trok een lang gezicht, maar gaf er wijselijk geen commentaar op. Hij had in de loop der jaren wel geleerd dat doordrammen weinig zin had bij zijn tantes.

Hij won het spel met glans, waarna hij en zijn zus om het hardst riepen om nog een spelletje, een verzoek dat uiteraard ingewilligd werd. Deze keer was Charity degene met de meeste gewonnen kaartjes.

„Dan moeten we dus nog een keer," concludeerde Damian. „Want nu staat het één tegen één. We moeten nog een spelletje doen om te kijken wie de echte winnaar is."

„Zo werkt dat niet, schooier," lachte Lieke. „Dat heeft namelijk alleen maar nut als jullie met zijn tweeën spelen, want als ik nu win zijn er drie mensen met één punt."

„En als dan ome David wint, moeten we nog heel lang door!" juichte Charity tevreden.

„Mogen we nog één spelletje, tante Lieke?" vroeg David met een kinderstem. Afwachtend keken de kinderen naar haar op, nu ze wisten dat ze het pleit bij David hadden gewonnen.

„Nog eentje dan," gaf Lieke toe. Ze zag hoe David genoot van dit ongedwongen omgaan met de kinderen en kon het niet over haar hart verkrijgen om dit verzoek af te slaan.

„Maar dan gaan jullie echt naar bed toe. Morgen moeten we allemaal vroeg opstaan, want ik heb met papa afgesproken dat jullie met ons meegaan naar het hotel."

Uit de voorraad in de doos werd nu gekozen voor een spelletje paardenrace, wat voornamelijk favoriet was omdat het lekker lang duurde. Al met al was het ruim na tien uur voor de twee kleintjes in het logeerbed werden gestopt.

„Slaap lekker, jongens," wenste Lieke terwijl ze het dekbed nog even stevig instopte.

„Trusten," klonk het slaperig uit twee mondjes. Ze waren al half onder zeil voor Lieke en David de kamer hadden verlaten.

„Wat een schatjes, hè?" zei David vanuit de deuropening. Hij wierp nog een laatste blik op de twee naast elkaar liggende hoofdjes op de kussens.

„Natuurlijk, ze zijn familie van mij," zei Lieke verwaand. „Je weet toch dat alles wat uit de familie Nieuwkerk voortkomt, schattig is?"

„Jij in ieder geval wel," zei David. Hij ving haar in zijn armen voor ze de trap af kon lopen. „Ik vond het echt leuk vanavond. Dat moeten we wat vaker doen, die twee kleintjes uitnodigen. We kunnen ze ook wel eens een keertje meenemen naar een pretpark of zo."

„Als surrogaat, of als opvulling tot we zelf kinderen hebben?" Onderzoekend keek Lieke hem aan.

„Gewoon omdat ik het leuk vind. Ik hou wel van een beetje leven om me heen."

„Nou, leven heb je genoeg met die twee, dat is waar."

„Het zijn inderdaad niet de rustigste van het heelal," gaf David grinnikend toe. „Maar het is een heerlijk stel."

Hij begon de spellendoos op te ruimen, wat Lieke de opmerking ontlokte: „Ben je bang geworden? We zouden nog een spelletje dammen, weet je nog? Of durf je niet meer?"

„Verliezen van jou schaadt mijn reputatie," grijnsde David. „In plaats daarvan weet ik een veel leuker spelletje." Hij begon de rits van haar jurk los te maken en Lieke werkte niet tegen. Voor het eerst sinds weken had ze weer het gevoel dat het helemaal goed zat tussen hen. Het was die avond zo gezellig geweest en zo harmonieus. Heel wat anders dan de stemming die er dezelfde ochtend nog tussen hen had geheerst.

„Het was anders wel een gedenkwaardige kerst," mijmerde ze, ondertussen genietend van de strelende handen op haar lichaam.

„Dat is het nog steeds," hoorde ze David mompelen. Hij stond achter haar en ontdeed haar langzaam maar zeker van haar jurk. „Het is nog steeds kerstmis en ik weet een uitstekende afsluiting van de feestdagen."

„Hm, ik geloof dat ik het helemaal met je eens ben." Lieke draaide zich om en sloeg haar armen om zijn nek. Hartstochtelijk zoenend bewogen ze zich richting slaapkamer.

„Wat doen jullie nou?" klonk het ineens verontwaardigd. Geschrokken keek Lieke op. In de deuropening stond Damian. Het T-shirt van David wat ze hem aan hadden getrokken om in te slapen, viel ruim om zijn lichaampje heen. Zijn haren stonden recht overeind en zijn wangen waren rood van de slaap. Het was een schattig plaatje om te zien, maar tevens een plaatje wat ze kon missen als kiespijn.

„Jij hoort in je bed, jongeman," sprak ze streng. Razendsnel trok ze haar jurk weer over haar hoofd heen.

„Ik moet plassen," deelde Damian haar mee. Belangstellend keek hij naar de rare capriolen van zijn tante. David stond geamuseerd toe te kijken. Hij deed geen enkele moeite om zijn vrouw uit deze situatie te redden.

„Je hebt ons niet laten plassen."

„Ach hemel, ook dat nog," zuchtte Lieke. „Dan zal ik

Charity ook maar even wakker maken voor we straks een nat logeerbed hebben. Kom maar jochie, tante Lieke zal je helpen."

Langs David heen liep ze met Damian naar de badkamer.

„Je rits staat nog open," merkte David als terloops op.

Lieke keek hem aan en zag dat hij met moeite zijn lachen inhield. Zo zag ze hem het liefst, zo blij en gelukkig. Jammer dat dat steeds minder vaak voorkwam, schoot het even door haar hoofd. Ergens waren ze toch op de verkeerde weg beland, hoewel ze met veel goede moed en liefde aan hun huwelijk waren begonnen. Zij voelde zich ook nog steeds gelukkig met hem, maar van zijn kant schortte er nog wel eens wat aan de laatste tijd.

„Wacht jij maar tot ik klaar ben met de kinderen," dreigde ze hem.

„Met liefde. Ik zal jouw plek van het bed vast warmen," beloofde hij.

Snel hielp Lieke de kinderen en stopte ze weer lekker warm onder het dekbed. Daarna ging ze naar hun slaapkamer, waar haar een verrassing wachtte. David lag op het bed, met een fles wijn en twee glazen in zijn handen. Rondom het bed had hij een aantal kaarsjes aangestoken, die een feeëriek lichtschijnsel verspreidden.

„Gelukkig kerstfeest," zei hij.

„O, wat heerlijk romantisch," genoot Lieke. Voor de tweede keer in een kwartier tijd verdween de jurk over haar hoofd. Achteloos gooide ze hem op een stoel voor ze zich bij haar man voegde. Wat er tegenwoordig ook scheef liep tussen hen, op dat moment was alles perfect. „En nu maar hopen dat de kinderen zich de rest van de nacht koest houden."

Dat was het laatste wat ze uit kon brengen, want David

nam volledig bezit van haar. Alle ergernissen, verwijten en ruzies leken in het niets opgelost.

De volgende ochtend versliepen ze zich grandioos. In de roes van hun samenzijn had Lieke er totaal niet aan gedacht om de wekker te zetten en Damian en Charity waren zo laat naar bed gegaan dat die ook niet op hun normale tijd van half zeven wakker waren. Pas om kwart over acht schudde Damian zijn tante ongeduldig heen en weer.

„We zijn wakker en hebben honger," vertelde hij.

„David, we hebben ons verslapen!" schrok Lieke.

Het werd een haastig ontbijt, ondanks dat keek David tevreden om zich heen. „Je hebt er slag van om met kinderen om te gaan," prees hij zijn vrouw. „Je bent een echt moedertje."

„Dat vind ik nogal oubollig klinken," meende Lieke. „Net alsof je als moeder zijnde geen andere interesses meer hebt en je hele leven alleen maar uit je kinderen bestaat. Zo wil ik het tenminste nooit."

„Maar je wilt toch wel kinderen?" schrok David.

Lieke zuchtte. Begon dat nu weer? „Jawel. Ooit. Maar zo'n moederkloek die nergens anders meer aandacht voor heeft zal ik nooit worden," waarschuwde ze hem.

„Dat zou ik niet eens willen. Tenslotte hou ik van je zoals je bent, inclusief je ambities. Het lijkt me vreselijk om een vrouw te hebben die alleen nog maar over de prestaties van haar kinderen kan praten en waar voor de rest geen zinnig woord uitkomt."

„Vergeet de prijzen van de boontjes en het vuile wasgoed niet," lachte Lieke alweer. Ze zond David een warme blik toe. „Ooit zullen wij ook een gezin met kinderen vormen," beloofde ze hem. „Maar je moet me niet opjagen op dat gebied. Ik ben pas tweeëntwintig, ik heb nog maar net geleerd voor mezelf te zorgen. Een kind is zo'n enorme verantwoordelijkheid, daar moet je tweehonderd procent achter staan."

„Ik heb al honderdvijftig procent, dus jij hoeft nog maar een klein stukje," zei David ernstig.

Lieke schudde haar hoofd. „Zo werkt dat niet. De verdeling is honderd van jouw kant én honderd van mijn kant en zover ben ik nog lang niet. Ik begrijp dat het voor jou anders ligt omdat je een stuk ouder bent, maar wat is er mis mee om te genieten van je vrijheid tot we er allebei aan toe zijn?"

„Niets," gaf hij toe. „Maar dat verlangen zit er nu eenmaal, dat is niet weg te redeneren met verstandige argumenten."

„Het spijt me, maar je zult toch nog even moeten wachten."

Lieke had de schoenveters van de kinderen gestrikt en kwam moeizaam overeind. Ze gaf hem snel een zoen. „Of je moet je geluk beproeven bij een andere vrouw die er net zo over denkt als jij," zei ze plagend, maar met een licht serieuze klank in haar stem.

„Nooit!" bezwoer hij haar plechtig. „Ik wil jou, ook als er nooit kinderen zouden komen. Maar het liefst heb ik natuurlijk allebei."

„Drammer," lachte Lieke. „Je lijkt Damian wel. Kom op, we moeten gaan. Het is al veel later dan we gepland hadden."

Met zijn vieren reden ze naar het hotel. David had de dagen tussen kerst en nieuwjaar vrij, maar had aangeboden om in het hotel te komen helpen. Daar was altijd wel iets te doen, vooral omdat Barend en Marga zo veel mogelijk personeelsleden vrij hadden willen geven met de feestdagen. Ruim een halfuur later dan afgesproken kwamen ze de lobby binnen. Marga stond al met een bezorgd gezicht op haar horloge te kijken.

„Wat zijn jullie laat," was haar begroeting. „Ik was al bang dat er iets gebeurd was."

„Verslapen," zei Lieke laconiek. „En daarna nog een ontbijt met twee kinderen, wat we ook niet gewend zijn. Het vraagt toch heel wat tijd voor die twee 's ochtends gewassen, aangekleed en gevoed zijn. Is Sjoerd al binnen?"

„Ja, net. Hij is in de winkel bezig," antwoordde Marga. „Hoe is het met Anneke?"

„Goed. Ze voelde zich alweer een stuk opgeknapt gisteravond. Toen Sjoerd hierheen kwam sliep ze nog, dus heeft hij haar laten liggen, maar vanmiddag komt ze ook deze kant op."

„Mooi, ik ben blij dat ze zich weer beter voelt. Schat, breng jij de kinderen bij Sjoerd?" wendde Lieke zich tot David. „Dan duik ik mijn kantoor in, ik heb nog wat administratie liggen. Als ik daarmee klaar ben kom ik in de keuken helpen. Tot straks." Ze gaf haar echtgenoot een innige zoen, iets wat Marga welwillend bekeek.

„Ik geloof dat de lucht tussen David en Lieke opgeklaard is," zei ze later tegen Barend toen ze samen achter de receptie stonden. Het was rustig en ze hadden alle tijd om te praten.

„Natuurlijk," bromde Barend. Hij maakte zich nooit zo druk om dergelijke zaken. De gezondheid van zijn vrouw en het welzijn van het hotel vond hij veel belangrijker dan de ruzietjes tussen zijn kinderen en hun partners. Dat waren dingen die erbij hoorden, vond hij.

„En Sjoerd zag er ook een stuk beter uit dan gisteravond," ging Marga onverstoorbaar verder.

„Ik denk dat hij en Anneke eens stevig gepraat hebben."

„Of iets anders," grijnsde Barend, de spijker onbewust op de kop slaand. „Lieverd, je moet je niet zo bezorgd maken om je kroost. Ieder huwelijk kent ups en downs en daarnaast heb je ook nog de gewone huis-, tuin- en keukenruzies. Jij denkt iedere keer als één van je kinderen met een chagrijnig gezicht rondloopt dat er de grootste problemen zijn. In gedachten zie je ze volgens mij al talloze keren scheiden, met alle ellende vandien."

„Ik maak me gewoon wel eens ongerust, daar ben ik hun moeder voor," verdedigde Marga zichzelf. „Als je ziet dat er dingen fout lopen, voel je je zo machteloos."

„Er loopt niets fout. Sjoerd en Anneke gaan nu door een moeilijke tijd en dat heeft zijn weerslag op hun humeur, dat is heel normaal. Lieke en David hadden gisteren gewoon een flinke bonje voor ze naar ons toe kwamen, ook niets bijzonders. Wees blij dat ze af en toe ruzie maken, als er nooit onenigheid is zit er ook iets niet goed, volgens mij."

„Jij doet er altijd zo makkelijk over," verweet Marga hem.

„Omdat er niets moeilijks aan is. Dat is het nadeel van zoveel tijd met elkaar doorbrengen, je wordt met allerlei kleinigheden geconfronteerd die je anders ontgaan."

„Toch ben ik blij met het hotel en de samenwerking met onze kinderen. Vroeger, toen ze allemaal hun eigen baan hadden en ik hele dagen thuis zat, maakte ik me tenslotte ook zorgen om ze. Vaak was de ruzie dan allang de wereld uit als ik er nog over zat te piekeren, nu zie ik het tenminste meteen als het opgelost is," zei Marga tevreden. „Op dit moment is alles weer goed met ons viertal, dat is wel duidelijk."

Barend lachte even. Dit was Marga ten voeten uit. Altijd piekerend en tegelijkertijd altijd wel blij met iets. Het zorgen zat haar in het bloed, iets wat Noortje van haar overgenomen had.

Die was ook altijd blij als ze een ander kon helpen.

„Ik vond Noortje er anders niet zo florissant uitzien vanochtend," zei hij, als vervolg op zijn gedachten over zijn dochter. Meteen nadat hij dit gezegd had, kon hij het puntje van zijn tong er wel afbijten. Waarom zei hij dat nou? Marga maakte zich toch al zo snel ongerust en nu ze ook nog eens met haar eigen gezondheid tobde, was dat piekeren helemaal slecht voor haar.

„Dat kan ook niet anders," reageerde Marga echter nuchter. „In haar omstandigheden zou ik het veel vreemder vinden als ze juichend binnen kwam rennen. Gelukkig zijn die eerste feestdagen zonder Frits voorbij, volgend jaar staat ze er weer heel anders tegenover. Misschien heeft ze dan alweer een nieuwe vriend, wie zal het zeggen. Als het dan maar iemand is die goed in ons kringetje past, zoals bij de rest."

„Loop je niet een beetje ver op de zaken vooruit?" informeerde Barend lichtelijk spottend. „Je zult maar af moeten wachten waar ze nog eens mee aankomt."

„Dat hebben we altijd moeten doen, maar tot nu toe is het prima uitgepakt. Anneke lag een beetje moeilijk in het begin, toch hoort ze nu echt bij de familie, net als David. En Leen en Froukje vormen ook een leuk stel. Je ziet zo dat die twee stapelgek op elkaar zijn en echt bij elkaar horen," meende Marga.

Het onderwerp van haar gesprek, Leen, liep net door de lobby en ze zwaaide vrolijk naar hem. Hij stak zijn hand op, maar liep snel door. Op dat moment had hij allerminst behoefte aan een praatje, hij had wel iets anders aan zijn hoofd. Gelukkig had hij Marga's laatste woorden niet gehoord, hij zou er waarschijnlijk spottend om gelachen hebben. Was hij maar net zo zeker van zijn zaak als Marga dat was! Tot een week geleden, zelfs nog tot gisterochtend, was hij er ook vast van overtuigd dat hij bij Froukje hoorde, maar inmiddels was die zekerheid veranderd in een vraag. Constant zag hij Noortjes ogen voor zich, zich afvragend hoe het in vredesnaam mogelijk was dat hij plotseling zoveel gevoelens had voor zijn aanstaande schoonzus. Hij had haar altijd al erg graag gemogen, maar dit was anders. Intenser. Het voelde alsof zijn geluk afhankelijk was van Noortjes gemoedstoestand. Zolang zij verdrietig was, kon hij niet gelukkig zijn, zoiets. Direct na Frits' overlijden had hij zichzelf de taak gesteld om haar erbovenop te helpen, nu vroeg hij zich af waarom hij daar zo gemotiveerd in was. Waren zijn pas ontdekte gevoelens toen al ontluikt? Was hij zonder het te weten al langer verliefd op Noortje en kwam dat nu naar boven door de ingrijpende gebeurtenissen? Hij wist het niet. Hij wist alleen dat hij gek werd van het gepieker.

Was hij maar zeker van wat hij voelde en wat hij wilde, dat zou de zaken misschien niet makkelijker, maar wel minder gecompliceerd maken. Nu voelde hij zich klem zitten tussen twee vrouwen in. Het was niet zo dat Froukje hem plotseling onverschillig liet, integendeel zelfs. Toch was er verschil met enkele dagen geleden. Ze was ineens niet meer zijn grote liefde, de vrouw met wie hij het liefst van alles zijn leven mee wilde delen. Ongemerkt was er iets veranderd tussen hen, iets waar hij zich pas bewust van was geworden sinds gisteravond. Immers, als alles goed tussen hen zou zijn, zou hij geen seconde geaarzeld hebben om op haar uitnodiging in te gaan. Aan de andere kant moest hij er ook niet aan denken om de relatie met Froukje te verbreken. Hun vriendschap, in korte tijd uitgegroeid tot liefde, was vertrouwd en goed. Froukje was zijn vriendin, zijn maatje, iemand met wie hij alles kon bespreken en met wie hij zich op zijn gemak voelde. Noortje was... Nou ja, Noortje was anders.

Een diepe zucht ontsnapte Leen bij die overpeinzingen.

„Zo, die kwam uit je tenen," grinnikte David naast hem. Gealarmeerd keek Leen op. „Hoe lang sta jij hier al?" vroeg hij onzeker.

„Net. Onze schoonpa stuurde me naar je toe. Ik kom een paar dagen helpen, weet je nog?" herinnerde hij zijn aanstaande zwager. Leen keek alsof hij water zag branden, hij leek zich helemaal niet bewust van zijn omgeving.

„Sorry, ik was even heel ver weg met mijn gedachten," verontschuldigde hij zich.

„Dat was te merken, ja. Iets zakelijk of iets persoonlijks?"

„Allebei," antwoordde Leen somber. Tenslotte was het hotel verweven met de familie Nieuwkerk, hij werkte hier en bovendien waren Froukje en Noortje zussen van elkaar. Hij maakte het zichzelf bepaald niet makkelijk, dacht hij met galgenhumor. Dat je tot de ontdekking kwam dat je partner misschien toch niet de vrouw van je leven was, was één ding, maar in die situatie samenwerken was moeilijk. Het daarna aanleggen met haar zus was helemaal onmogelijk. Het was het beste als hij alle gedachten aan Noortje van zich afschoof en zich concentreerde op Froukje en op zijn werk. Dan zou alles vanzelf wel weer normaal worden, hoopte hij.

HOOFDSTUK 11

Ondanks zijn stoere gedachten daarover lukte het Leen niet om Noortje uit zijn hoofd te zetten. Het leek wel of ze steeds meer zijn gedachten ging beheersen, dacht hij somber. Hij ontliep haar zo veel mogelijk, iets wat niet alleen Noortje, maar ook Froukje opviel.

„Hebben jullie soms ruzie gehad of zo?" vroeg ze hem na een paar dagen rechtstreeks. De werkdag was ten einde, Froukjes kapsalon was gesloten en Leen had de lopende zaken overgedragen aan het hoofd van de avonddienst. Gearmd liepen ze naar zijn auto, na het avondmaal in de eetzaal genuttigd te hebben. Eén van Froukjes vriendinnen was jarig en daar gingen ze naartoe.

„Nee, hoezo?" antwoordde Leen neutraal.

„Zomaar. Jullie doen ineens zo anders tegenover elkaar. Tenminste, jij. Af en toe lijkt het wel alsof je haar helemaal niet meer ziet staan, terwijl jullie juist zo goed met elkaar overweg konden."

„Noortje heeft zich heel erg aan me vastgeklampt, nu gaat ze langzamerhand weer op eigen benen staan. Ze heeft me niet meer zo hard nodig als steunpilaar," zei Leen.

Froukje keek even onderzoekend opzij. „Dat klinkt alsof je het jammer vindt."

„Ach, niemand vindt het leuk om te merken dat hij niet onmisbaar is," lachte Leen die woorden luchtig weg. „Welke kant moeten we op? Rechts? Ik ben benieuwd naar die vriendin van jou. Raar eigenlijk dat we allebei nog niet eerder kennis hebben gemaakt met onze wederzijdse vrienden," veranderde hij bewust van onderwerp.

„Dat komt omdat ik genoeg heb aan jou," zei Froukje genoeglijk. Ze legde haar hand op zijn been en kneep even liefdevol in zijn knie. Leen lachte van opzij naar haar. Haar woorden gaven hem een gevoel van wroeging, maar daar merkte Froukje niets van. Voor geen prijs wilde hij haar ongelukkig maken door zijn chaotische gevoelens te bekennen. Hij was er vast van overtuigd dat die vanzelf weer zouden verdwijnen als hij daar maar hard genoeg zijn best voor deed. Froukje was een fijne meid, ze verdiende het om gelukkig te zijn. Hij realiseerde zich niet dat een fijne meid niet bepaald de typering was voor een man om de vrouw van zijn leven mee aan te duiden. Froukje was zijn toekomst, klaar uit. Met haar zou hij zijn leven delen en gelukkig zijn. Noortje was slechts een tijdelijke bevlieging. Zijn ijdelheid was gestreeld omdat ze duidelijk had laten blijken dat ze hem nodig had na Frits' dood, daar kwam dit hele gedoe door.

Allebei waren ze niet meer teruggekomen op het incident van tweede kerstdag. Leen durfde er niet over te beginnen omdat hij geen goede verklaring voor zijn weigering kon geven en bang was dat ieder woord hierover er eentje te veel was. Froukje had zich erbij neergelegd dat Leen blijkbaar nog niet zover was om de volgende stap binnen hun relatie te zetten en probeerde het niet te zien als een persoonlijke afwijzing. Ze besloot rustig af te wachten tot het vanzelf kwam, maar had zich wel voorgenomen niet meer het initiatief te nemen op dat gebied. Eén keer afgewezen worden vond ze meer dan genoeg. Kwaad was ze niet op Leen, het had haar echter wel teleurgesteld omdat ze het niet begreep.

Het werd een gezellige avond. Karen, de vriendin van Froukje, ontving hen allerhartelijkst en stelde Leen ongedwongen voor aan de rest van het gezelschap, voornamelijk oude schoolkennissen van Karen en Froukje. Terwijl ze herinneringen ophaalden aan die tijd, observeerde Leen Froukje nadenkend. Ze was vrolijk en luidruchtig, een kant die hij nog niet zo goed van haar kende. In de korte tijd van hun relatie was daar nog niet veel aanleiding voor geweest met al die perikelen die zich binnen haar familie afspeelden. Er was altijd wel iets waar ze serieuze gesprekken over voerden en hoewel Froukje van nature een vrolijk karakter had, was deze uitbundigheid nieuw voor Leen. Het beviel hem wel. Om nog maar een keer de vergelijking met Noortje te maken, die was veel rustiger en bedachtzamer. Ze bezat genoeg gevoel voor humor, maar dat kwam niet dagelijks aan de oppervlakte. Opgelucht leunde hij wat meer op zijn gemak tegen de rugleuning van zijn stoel aan. Zie je wel, alles kwam goed. Froukje kon met gemak de vergelijking met Noortje doorstaan, het was helemaal niet nodig om zo te piekeren, laat staan om zijn hele leven overhoop te gooien.

Een dag later werd dat gevoel echter weer tenietgedaan. Het was oudejaarsavond en de hele familie vierde dat met de gasten in het hotel. De grote zaal was feestelijk versierd en Lieke had een bandje ingehuurd die de muziek en het entertainment verzorgde. Het was een gemaskerd bal en er liepen mensen in de vreemdste uitdossingen rond, maar Leen herkende Noortje onmiddellijk. Zijn hart sloeg een slag over toen hij haar tussen de dansende mensenmenigte in het oog kreeg. Ze droeg een zeemerminnenkostuum met een lange, rode, krullende pruik en een maskertje om haar ogen, toch wist hij direct dat zij het was. Hun blikken kruisten elkaar, Noortje was de eerste die haar gezicht afwendde. Een hinderlijke blos kroop over haar wangen en ze kon alleen maar hopen dat niemand dat opmerkte. Verward pakte ze een waaier die een Spaanse danseres op een tafeltje had gelegd en wuifde zichzelf wat koelte toe.

„Warm hè?" zei Froukje die naast haar opdook.

„Nogal ja, maar het is wel een geslaagd feest," wist Noortje neutraal uit te brengen. Het kostte haar grote moeite om zo normaal met Froukje te praten terwijl haar gedachten bij Leen waren. Ze voelde zich een huichelaarster. Met een smoesje maakte ze zich uit de voeten, het toilet in. Een paar vrouwelijke gasten stonden druk te kletsen en zich op te maken, dus dook Noortje een wc in en sloot de deur zorgvuldig achter zich. Duizelig ging ze zitten, haar gezicht tegen de koele tegels aanhoudend. Die blik van Leen... Had ze het zich verbeeld of voelde hij ook de spanning die er tussen hen hing? Hij ontliep haar, dat had ze duidelijk gemerkt, maar was dat omdat hij genoeg had van het praten met haar en haar gezelschap, of lag er een andere reden aan ten grondslag? Of... Er kwam een gedachte in Noortje op die haar deed blozen van schaamte. Misschien had hij wel gemerkt dat ze meer voor hem begon te voelen dan voor een zwager gebruikelijk was en ontweek hij haar daarom zo veel mogelijk. Misschien was hij wel bang dat ze hem in een onbewaakt ogenblik haar liefde zou gaan verklaren of zo. Of hij vreesde dat ze verkeerde conclusies zou trekken uit het feit dat hij veel tijd met haar doorbracht en ze samen veel diepgaande gesprekken voerden. Door Frits' overlijden hadden ze samen een band opgebouwd, dat viel niet te ontkennen.

Ze moest zo snel mogelijk met hem praten, besloot Noortje. Hoe langer ze erover nadacht, hoe meer ze ervan overtuigd raakte dat ze gelijk had met haar conclusie. Ze moest Leen duidelijk maken dat het niet zo was, dat zij geen gevaar vormde voor zijn relatie met Froukje. En voortaan zou ze zich een stuk terughoudender opstellen tegenover haar zwager, nam ze zich voor. Dat was ook voor haarzelf veel beter, want op deze manier dreigde het een onhoudbare toestand te worden.

Gesterkt door deze voornemens waagde ze zich de zaal weer in, waar een uitgelaten stemming heerste. Gezeten aan een tafeltje sloeg Noortje het geamuseerd gade. Zelf was ze niet zo'n feestbeest, maar ze kon enorm genieten van kijken naar mensen die het naar hun zin hadden. Anneke, verkleed als oosterse prinses, zwaaide naar haar terwijl ze voorbij danste. In haar armen lag een stoere piraat, die Noortje slechts met moeite herkende als Sjoerd. Hij hield zijn prinses teder omklemd. Damian en Charity liepen als twee van Sneeuwwitjes dwergen tussen de dansenden door.

„We hadden er eigenlijk zeven moeten hebben," zei Sjoerd.

„Dan was het helemaal af geweest."

„En dan wij als Sneeuwwitje en haar prins zeker," lachte Anneke.

„Dat benadert de werkelijkheid toch? Ik vind het wel een goed idee voor over een paar jaar, als we weer eens zo'n verkleedfeest hebben. Dan zorgen we gewoon voor zeven kinderen."

„Als je het maar uit je hoofd laat!" schrok Anneke. „Dan zorgen je zussen maar voor de benodigde aanvulling, dat wordt ook wel eens tijd. Wat dat betreft vormen wij al jaren een uitzondering met onze twee kinderen."

„Hopelijk binnenkort drie," fluisterde Sjoerd verliefd in haar oor.

Anneke gaf daar geen antwoord op. Ze wist dat het verkeerd was en ze met Sjoerd moest praten over het feit dat ze liever nog een jaartje wilde wachten met een baby erbij, maar ze kon het niet over haar hart verkrijgen om de liefdevolle sfeer die nu weer tussen hen hing te verbreken. Het was nu weer zo goed en ze wist dat ze Sjoerd enorm zou teleurstellen als ze haar ware gevoelens kenbaar maakte, dus schoof ze het op de lange baan. Bij haar operatie was één eileider verwijderd, wat de kans op een zwangerschap een stuk kleiner maakte. Waarschijnlijk zou het daardoor wel een tijd duren voor ze opnieuw in verwachting zou raken, dacht Anneke. Tegen die tijd was ze er misschien wel aan toe, dus had het nu geen nut om daar oeverloze gesprekken over te houden die toch nergens toe leidden. Bovendien wilde ze Sjoerd gelukkig maken. Voor hem zou ze het heerlijk vinden als er binnenkort een baby bij zou komen. Dus zweeg ze en hoopte ze er het beste van. Een jaar uitstel omdat de natuur zich nu eenmaal niet liet dwingen, was tenslotte heel iets anders dan een jaar uitstel omdat zij niet wilde.

De klok tikte de laatste minuten van het jaar weg. Sjoerd, Barend, Leen en David schonken champagne in. Iedereen ging staan met een opgeheven glas in de hand, wachtend op het moment dat ze konden proosten. De laatste tien seconden telde iedereen keihard mee, daarna barstte er een enorm gejuich los. Iedereen omhelsde iedereen, buiten knalde het vuurwerk en het gelach en geroep waren niet van de lucht. In de algemene drukte waarin de kreet gelukkig nieuwjaar voortdurend weerklonk, stonden Leen en Noortje plotseling tegenover elkaar.

„Gelukkig nieuwjaar, Noortje," zei Leen zacht. Teder pakte hij haar gezicht vast en zijn mond beroerde even de hare. Hij schrok zelf van de heftige emoties die deze kus met zich meebracht. Het liefst zou hij haar nu stevig in zijn armen nemen en wegvoeren uit deze drukte, om ergens op een rustig plekje van elkaar te genieten. Abrupt liet hij haar los en draaide zich om, bang dat zijn verlangen zichtbaar was en hij zijn emoties niet meer onder controle kon houden. Hij moest naar Froukje, dacht hij in paniek. Haar vasthouden en zoenen, voelen dat zij de vrouw voor hem was. Noortje staarde hem verdrietig na toen hij in de drukte zijn vriendin zocht. Zie je wel, ze had gelijk met haar gedachten eerder die avond. Leen durfde amper meer in haar buurt te komen. Het was toch heel normaal om elkaar op dit moment een zoen te geven, maar hij wist niet hoe snel hij weer naar zijn eigen vriendin toe moest, zo bang was hij schijnbaar dat zij verkeerde conclusies zou trekken uit een simpele kus. Ze moest echt zo snel mogelijk met hem praten voor dit probleem levensgroot tussen hen in zou komen te staan. Ze moest hem duidelijk maken dat ze absoluut niets meer van hem verwachtte dan vriendschap, ondanks signalen die ze hem waarschijnlijk onbewust gegeven had. Een andere verklaring kon ze tenminste niet bedenken voor zijn vreemde gedrag van de laatste dagen.

Het feest ging tot in de kleine uurtjes door, maar Noortje hield het al snel voor gezien. Net als Marga en Barend ging ze om half een naar huis. Sjoerd en Anneke volgden niet zo veel later, evenals Lieke en David. Froukje en Leen zouden tot het laatst blijven om op te ruimen en de dag erna vrij zijn.

Het was over vieren voor de laatste gasten naar hun kamers trokken en Leen en Froukje samen met de personeelsleden die dienst hadden de eetzaal weer terug konden brengen in zijn originele staat. De puinhoop was onbeschrijfelijk, overal stonden lege glazen, volle asbakken en schalen van hapjes. De tafeltjes waren bezaaid met vlekken en de vloer was bijna niet meer te zien, zoveel troep lag erop. Leen gaf kortaf instructies aan het personeel.

„Ben je moe, schat?" vroeg Froukje toen ze hem even later met een vol dienblad in haar handen passeerde.

„Nee, hoezo?"

„Je doet zo chagrijnig ineens, dat is niets voor jou. Normaal gesproken vraag je iets aan het personeel, nu beveel je ze."

„Ik heb het gewoon even helemaal gehad," bromde Leen, snel een excuus zoekend voor zijn gedrag. „Het valt niet mee om zo'n avond in goede banen te leiden. Sommige mensen drinken meer dan goed voor hen is en daar kunnen vervelende situaties uit voortkomen. Als bedrijfsleider ben ik verantwoordelijk. Hoe gezellig het ook was, ik ben toch blij dat het feest is afgelopen zonder dat er nare dingen zijn gebeurd."

„Het was een fantastische avond, daar was iedereen het over eens."

Froukje blies een kus naar hem en liep door naar de keuken met haar blad vol vuile glazen. Leen staarde haar schuldbewust na. Froukje, de vrouw waar hij een jaar lang heimelijk verliefd op was geweest en waar hij sinds kort, eindelijk, een relatie mee had. Froukje, die hem vertrouwde en die van hem hield. Hoe kon hij haar vertellen dat zijn liefde zich verplaatst had naar haar zus? Hij begreep het zelf niet eens. Zijn binnenste lag volledig overhoop en hij wist absoluut niet wat hij moest doen.

Het duurde een paar dagen voor Noortje haar voornemen ten uitvoer kon brengen om met Leen te praten. Het hotel was vol en er was weinig gelegenheid voor een diepgaand gesprek, vooral omdat Leen haar bleef ontlopen. Op een ochtend liep ze het magazijn in om toiletpapier voor de crèche te pakken en stuitte daarbij op Leen, die de bestellijsten nakeek. Hij was druk bezig en had niet door dat

Noortje binnenkwam. Even aarzelde ze. Wat zou ze doen, stilletjes weggaan of deze kans aangrijpen? Wie weet hoe lang het duurde voor ze hem weer eens alleen trof, aan de andere kant zag ze er vreselijk tegenop om de confrontatie aan te gaan. Nu ze zich bewust was geworden van haar gevoelens, was het moeilijk om onbevangen met hem om te gaan, bovendien was ze bang om zichzelf te verraden. Niemand mocht weten wat ze voelde, zeker Leen niet. Nog voor ze besloten had wat ze zou doen, keek hij echter op en ontdekte haar. Ze zag dat hij schrok van haar onverwachte verschijning.

„Stoor je maar niet aan mij, ik kom alleen toiletpapier halen," zei ze snel. „Het is niet zo dat ik je achtervolg of zo."

„Dat was nog geen moment in me opgekomen," merkte Leen op.

„O nee?" Noortje, die het magazijn alweer wilde verlaten, draaide zich nu toch naar hem om en keek hem vol aan. Dan nu meteen maar, besloot ze. Een betere gelegenheid zou ze nooit meer krijgen. „Dat zou je anders niet zeggen aan je gedrag de laatste tijd."

Leen streek nerveus met zijn hand door zijn haar. „Ik eh… Ik weet niet…" stamelde hij.

„Dat weet je wel!" viel Noortje onverwachts fel uit. Ze stond stijf van de zenuwen. „De laatste tijd ontloop je me bewust en op momenten dat dat niet kan gedraag je je raar. Opgefokt, nerveus, weet ik veel. In ieder geval niet normaal. Als je iets op me tegen hebt, zeg dat dan liever gewoon."

„Iets op jou tegen?" herhaalde Leen dociel. „Hoe kom je daar nou bij?"

„Door je eigen gedrag. We waren vrienden, Leen, goede vrienden. Heb ik soms iets gedaan of gezegd waardoor je je niet meer op je gemak voelt bij mij?" vroeg Noortje.

„Nee, het ligt absoluut niet aan jou," antwoordde Leen snel. Hij legde zijn papieren weg en deed een stap in haar richting. Met een intense blik keek hij haar aan en Noortje voelde zich steeds minder op haar gemak. Wat had hij toch? Dat hij ergens over piekerde was wel duidelijk, maar waarover? Het liefst zou ze nu haar armen om hem heen slaan en zijn zorgen met hem delen, maar dat kon niet. Dat was Froukjes taak, hield ze zichzelf streng voor. Zij was slechts zijn aanstaande schoonzus.

„Maar er is dus wel iets," begreep ze uit zijn woorden. „Kan ik je daarmee helpen?" Ze hoopte dat haar stem neutraal klonk.

Leen schudde zijn hoofd. „Was het maar waar," zei hij schor. „Ik lig nogal met mezelf overhoop, maar dat is jouw schuld niet. Laat maar, ik kom er wel weer uit."

„Praat er dan met Froukje over," adviseerde Noortje hem. „Zij is de aangewezen persoon om je problemen mee te bespreken."

Leen lachte kort, het klonk spottend. „Dat is nou net de laatste aan wie ik het kan vertellen," flapte hij eruit. Hij beet op zijn lip en bonkte met zijn vuist tegen de muur, kwaad op zichzelf omdat hij zich niet beter kon beheersen. „Doe maar net of je dit niet gehoord hebt," verzocht hij.

„Dat is makkelijker gezegd dan gedaan. Bedoel je soms…? Leen, heb je iemand anders? Bedrieg je Froukje?" fluisterde Noortje ontdaan. Dat was de enige conclusie die ze uit zijn woorden kon trekken, maar het kostte haar moeite om dat te geloven. Dat was niets voor Leen, zo goed meende ze hem wel te kennen.

Tot haar opluchting schudde hij van nee, ze geloofde hem onmiddellijk.

„Niet in de zin van het woord," vervolgde hij echter. „Maar er is wel een ander waar ik meer aan denk dan goed voor me is. Veel meer."

Hij ontweek haar ogen en plotseling begreep Noortje het. Als een blikseminslag drong het tot haar door. Leen was helemaal niet bang dat zij verliefd op hem was, het was andersom! Hoewel haar hart begon te zingen, wist ze tegelijkertijd dat ze zich in een onmogelijke positie bevond. Haar gevoelens werden dus beantwoord, maar ten koste van wat? Dit kon niet, dat realiseerde ze zich meteen.

„Froukje is mijn zus," zei ze dan ook zacht.

In haar ogen las Leen datgene waar hij van droomde, maar wat nooit realiteit kon worden in deze omstandigheden. Hij sloot zijn ogen en zuchtte diep. De verleiding om haar in zijn armen te nemen was zo groot dat hij een stap achteruit deed.

„Ik weet het, dat maakt het extra moeilijk." Zijn stem klonk schor. „Ik kan het haar niet aandoen om het uit te maken en vervolgens iets met jou te beginnen. Dat zou zo ontzettend hard zijn en tegelijkertijd zo goedkoop. Iets voor soapseries of talkshows. Ik kan het niet, Noor."

„Dat zou ik ook nooit van je vragen. Ik wil dat je Froukje gelukkig maakt, dat verdient ze. Als wij ons contact zo veel mogelijk beperken, verdwijnen die gevoelens wel."

„Natuurlijk." Het klonk niet overtuigend.

Noortje draaide zich om met de bedoeling het magazijn te verlaten. Er viel niets meer te zeggen tussen hen. Het feit dat ze nu van elkaars gevoelens op de hoogte waren, veranderde niets. Ieder woord dat er nu nog over gezegd werd, was er één te veel. Leen hield haar echter tegen door zijn hand op haar schouder te leggen. Ze voelde de warmte van zijn huid door haar trui heen en hield haar adem in.

„Het spijt me," zei Leen zacht. „Ik had je niet met deze wetenschap willen belasten. Ik wilde het zelf uitvechten."

Noortje keek naar hem op. Hun ogen vonden elkaar en onweerstaanbaar werden hun gezichten naar elkaar toegetrokken. Heel even vloog het nog door haar hoofd heen dat dit niet kon, maar toen was het al te laat. Onvermijdelijk raakten hun lippen elkaar in een tedere kus, die steeds heftiger werd.

„O Noortje!" Leen drukte haar stevig tegen zich aan en verborg zijn gezicht in haar haren. „Ik wil Froukje niet bedriegen, zeker niet op deze manier. Stiekeme vrijpartijtjes in het magazijn, banaler kan het al niet. Wat overkomt ons toch?"

„St." Noortje legde haar wijsvinger tegen zijn lippen. „Dit blijft ons geheim. We gaan allebei weer aan het werk en doen alsof dit nooit is voorgevallen. Tenslotte weten we beiden dat dit niet kan en het is mijn stijl niet om op deze manier een verhouding te beginnen, achter iemands rug om. De jouwe ook niet, dacht ik."

„Zeker niet. Ga alsjeblieft terug naar de crèche voor het volledig uit de hand loopt," verzocht Leen. Ondanks die verstandige woorden boog hij zich opnieuw naar haar over om haar te kussen. Hij kon het niet laten, het verlangen naar haar was te groot. De gevoelens die haar aanwezigheid in hem losmaakten waren te heftig om te negeren.

Noortje stribbelde niet tegen. Ondanks de wetenschap dat dit niet kon voelde het zo goed dat ze zich niet zonder meer los kon maken uit zijn omhelzing. Deze gestolen minuten waren het enige wat haar gegeven werd, zodra ze het magazijn uitliep was het definitief over. Met die gedachte in haar achterhoofd bood ze hem gewillig haar lippen.

Leen en Noortje gingen zo in elkaar op dat ze allebei niet

merkten dat de deur vanuit de keuken geopend werd. Froukje, die haar vriend zocht, staarde verbijsterd naar het tafereel dat zich voor haar ogen afspeelde. Ze kon niet vatten wat ze zag en bleef als versteend staan, zonder geluid te maken. Haar voeten leken wel vastgeplakt aan de vloer. Gebiologeerd bleef ze staan kijken, niet bij machte iets te zeggen of te doen.

HOOFDSTUK 12

Froukje kon later niet vertellen hoe lang ze daar gestaan had. Ze dacht niets, voelde niets, keek alleen maar naar haar vriend die haar zus kuste, zonder iets te zeggen of te bewegen. Het was Gerda die haar uit die impasse haalde. Via de keuken kwam ze haastig aanlopen. „Froukje, ga jij naar het magazijn? Wil je zo'n fles allesreiniger voor me pakken? Ze staan nogal hoog en ik durf dat trapje niet op." Terwijl ze sprak kwam ze dichterbij. „Wat sta je daar nou te staan? Kind, je ziet eruit alsof je een spook hebt gezien." Op dat moment zag ze hetzelfde als wat Froukje zag. „Wat heeft dit te betekenen?" riep ze verontwaardigd.

Leen en Noortje lieten elkaar geschrokken los.

„Froukje," fluisterde Noortje hees.

„Froukje, ja." Met haar handen in haar zij keek Gerda woedend van de één naar de ander. „Je eigen zus, nota bene. Waar zijn jullie in vredesnaam mee bezig?"

„Het spijt me, dit was niet de bedoeling," zei Leen. Hij wilde naar Froukje toelopen, maar ze deed haastig een stap achteruit.

„Raak me niet aan!" Haar ogen schoten vuur nu tot haar doordrong wat er aan de hand was. Het was dus geen slechte film die ze had gezien, het was de realiteit. Keiharde realiteit.

„Froukje alsjeblieft. Laat het me uitleggen. Het is niet wat je denkt," zei Leen smekend. Hij voelde zichzelf een schoft toen hij in haar ogen keek en had er alles voor over om dit ongedaan te maken. Een paar seconden lang was hij wensloos gelukkig geweest, maar bij het zien van de pijn op Froukjes gezicht besefte hij dat het dit niet waard was geweest. Dit had nooit mogen gebeuren.

„O nee?" Froukjes stem sneerde. „Dat klinkt wel erg cliché, hè? Het is nooit wat de bedrogen vrouw denkt, zelfs niet als die het met haar eigen ogen heeft gezien. Wat heb je Noortje verteld? Dat ik je niet begrijp, dat je niet langer gelukkig bent met me?" Ze lachte honend. „Het zal wel, want erg origineel ben je niet met je smoesjes, dat blijkt."

„We wilden dit niet, het gebeurde gewoon," kwam Noortje tussenbeide. „Het was niet onze bedoeling om je te kwetsen."

„Nog zo'n klassieker." Met een bittere trek om haar mond draaide Froukje zich om. „Laat maar, ik wil het niet horen. Wees maar niet bang dat ik hier een enorme scène ga staan trappen of dat ik ruzie met jou, mijn zus, ga maken over wie hem mag hebben. Ik hoef namelijk niet meer. Ik hoop dat jullie heel erg gelukkig worden samen." Dat laatste klonk ronduit sarcastisch. Ze wilde weglopen, maar Leen hield haar tegen.

„Geef ons alsjeblieft de kans om het uit te leggen. O Frouk, ik vind dit zo erg."

„Dan ben je de enige niet. Wat valt er trouwens uit te leggen?" Met een ongeduldig gebaar schudde Froukje zijn hand van haar arm af. „Ik ben niet achterlijk en niet blind, ik heb heel goed gezien wat jullie aan het doen waren."

„Maar dat wilden we niet!"

„Natuurlijk, dat klinkt logisch. Ik doe ook altijd datgene wat ik niet wil," zei Froukje spottend. Ze voelde zich ineens dodelijk vermoeid en verlangde er alleen nog maar naar om alleen te zijn, weg uit deze omgeving waar twee van haar meest geliefde mensen haar bedrogen. Met haastige passen liep ze de keuken uit, bang om in tranen uit te barsten waar iedereen bij was.

„Zijn jullie nou helemaal gek geworden?" viel Gerda uit. „Van mannen kun je dit soort dingen nog verwachten, maar dat jij zoiets doet." Kwaad keek ze Noortje aan. „Hoe kun je?"

„Het spijt me zo erg," zei Noortje. Met een bleek gezicht leunde ze tegen een stellingkast aan. Ze ontweek Leens blik.

„Het is mijn schuld," zei hij meteen.

„Ik had niet anders verwacht, maar Noortje werkte niet bepaald tegen," hoonde Gerda. Ze wierp een verachtelijke blik op het tweetal. „Hier heb ik echt geen woorden voor. Ik ga nu naar Froukje toe, dat arme kind kan wel wat steun gebruiken."

„Ik ga met je mee," zei Leen onmiddellijk. Hij wilde naar de keuken lopen, maar Gerda hield hem met een fors handgebaar tegen.

„Jij blijft hier!" zei ze ongewoon fel. „Ze heeft geen behoefte aan je gezelschap, dat lijkt me nogal duidelijk. Wat wil je trouwens doen? Haar dwingen om naar je smoesjes te luisteren?"

„Het zijn geen smoesjes," protesteerde Leen. „Ik wil alleen maar…"

„Je hebt niets te willen," onderbrak Gerda hem. „Waag het niet om achter me aan te komen. Jullie laten Froukje met rust, begrepen!"

Het was geen vraag, maar een bevel en Leen kon niet anders doen dan daar gehoor aan geven. Hij begreep dat hij het alleen maar erger zou maken als hij nu naar Froukje toe zou gaan.

Ze moest eerst de kans krijgen om te verwerken wat er gebeurd was. Met een machteloos gebaar sloeg hij tegen de ruwe muur aan, zonder de pijn te voelen van de schaafwonden die daardoor op zijn handen verschenen.

„Verdraaid!" riep hij. „O Noor, wat een puinhoop. Dit is nooit mijn bedoeling geweest, geloof je dat?"

„Ja," antwoordde Noortje zonder aarzelen. „Maar jij bent niet de enige schuldige, Leen. We hebben dit samen op ons geweten."

„Niet waar, ik hield je tegen toen je weg wilde lopen. Het was sterker dan ikzelf. Maar dit wilde ik absoluut niet. Arme Froukje, het moet een vreselijke schok voor haar geweest zijn om ons te zien. Ik wilde mijn gevoel voor jou wegstoppen en samen met Froukje gelukkig worden, in plaats daarvan heb ik haar in de ellende gestort. Ik ben een zak!"

„Val jezelf niet te hard," zei Noortje. Ze zag hoe ongelukkig hij zich voelde met deze situatie en had hem dolgraag willen troosten, maar ze durfde hem niet aan te raken. Ineens leek hij een vreemde voor haar. Net of het bekennen van hun gevoelens en de daarop gevolgde zoen niet echt waren gebeurd.

Was dat maar waar, dacht ze. Dat ene moment van zwakte had een heleboel nare gevolgen.

Gerda zag alleen Marga en Barend in de hal staan toen ze daar arriveerde. Van Froukje was geen spoor te bekennen.

„Hebben jullie Froukje gezien?" vroeg ze haastig.

Marga knikte. „Ja, ze rende ons net voorbij, naar buiten toe. Is er iets gebeurt of zo? Ze leek me niet helemaal in orde, maar ze was al weg voor ik kon vragen wat er aan de hand is."

„Ze is behoorlijk overstuur," antwoordde Gerda grimmig. „Dankzij die vriend van haar."

„Leen? Wat heeft hij gedaan dan? Hebben ze ruzie?"

„Was dat maar waar. Ze betrapte hem terwijl hij in het

magazijn stond te rotzooien met Noortje," vertelde Gerda met gevoel voor dramatiek.

„Nee!" Marga en Barend riepen dat tegelijk.

„Ik sta daar anders niet om te liegen, ik heb het ook met mijn eigen ogen gezien."

„Leen en Noortje..." Het drong maar langzaam tot Marga door. Ze sloot even haar ogen bij deze nieuwe ramp die zich in haar gezin voltrok. Hield het dan nooit op? „Arme Froukje. Weet je het wel echt zeker?"

Gerda snoof verontwaardigd, ze gaf daar niet eens antwoord op. „Mannen!" zei ze alleen met een veelbetekenend gebaar met haar hand.

„Maar Leen toch niet. En Noortje. Nee, dit kan niet." Marga legde een hand op haar borst, ze voelde zich ineens vreemd draaierig en benauwd. „Froukje en Leen zijn gelukkig samen."

„Ja, beslist," zei Gerda sarcastisch. „Froukje misschien wel, maar Leen dus absoluut niet."

„Maak je niet meteen zo druk," zei Barend met een bezorgde blik op het wit weggetrokken gezicht van zijn vrouw. „Waarschijnlijk is er niets aan de hand. Leen en Noortje kunnen goed met elkaar overweg en hij steunt Noortje waar hij kan, maar dat wil niet zeggen dat ze Froukje bedriegen. Misschien troostte hij haar alleen en heeft Froukje daar verkeerde conclusies uit getrokken." Hij seinde Gerda met zijn ogen dat ze er niet verder op door moest gaan, maar daar liet ze zich niet door weerhouden.

„Ja, en ik ben Sinterklaas," zei ze op uitdagende toon. „Ik zeg toch wat ik zelf gezien heb? Geloof me, daar kwam geen troosten aan te pas. Vijf minuten later en ze hadden daar waarschijnlijk in hun nakie gestaan."

„Je overdrijft vast," bleef Barend kalm en koppig beweren.

„Je bent zelf bedrogen door je echtgenoot, dat houdt echter niet in dat iedere man hetzelfde doet. Ik ga nu naar het magazijn toe om te kijken wat er aan de hand is."

„Succes," riep Gerda hem hatelijk na. „Ik zweer het, Marga," wendde ze zich daarna weer tot haar vriendin. „Je weet dat ik geen roddeltante ben, maar ze stonden elkaar zowat op te eten."

„Ik weet niet wat ik ervan moet denken," zuchtte Marga.

Ze konden er niet verder over praten omdat er een aantal gasten naar de receptie kwam en de aandacht van Marga vroegen. Nog nooit had ze met zoveel tegenzin mensen te woord gestaan. Marga moest zichzelf echt dwingen om goed antwoord op de vragen te geven en de gasten niet af te snauwen, hoewel ze zich afvroeg hoe mensen het in hun hoofd haalden te klagen over de temperatuur van het zwembadwater. Alsof er geen belangrijkere zaken waren! In spanning wachtte ze op de terugkomst van Barend, die met grote passen naar het magazijn liep. Eigenlijk tegen beter weten in hoopte hij dat er niets aan de hand was, dat Gerda de hele situatie verkeerd had ingeschat, gevoed door haar eigen slechte ervaringen. Meteen bij binnenkomst zag hij het echter al. Hoewel Leen en Noortje een paar meter van elkaar af stonden, sprak hun gezichtsuitdrukking boekdelen. Leen zag er gekweld uit, Noortjes ogen stonden verdrietig.

„Dus toch," zei Barend schor, van de één naar de ander kijkend. „Ik hoopte dat het niet waar was."

„Wij ook," zei Noortje zacht. „Het is helemaal uit de hand gelopen, dit hadden we niet voorzien. Geloof me, pap, we wilden Froukje absoluut geen pijn doen."

„Maar waarom?" Barend wendde zich tot Leen. „Geef me één logische verklaring voor dit hele gedoe."

„Ik hou van Noortje," was Leens simpele antwoord. Hij hoorde hoe ze even scherp haar adem inhield bij deze rechtstreekse bekentenis, maar hij vermeed haar blik en keek Barend recht aan. „Daar ben ik me eigenlijk pas sinds een halfuur echt van bewust. Ik heb geprobeerd haar te ontlopen, ik hoopte dat mijn verwarde gevoelens vanzelf zouden verdwijnen en ik heb mijn best gedaan om Froukje gelukkig te maken, maar het hielp allemaal niet. Het is te sterk om te negeren." Hij sloeg zijn ogen niet neer voor Barends vorsende blik en ondanks alles kon die dat waarderen. Het was duidelijk dat Leen de waarheid sprak, maar dat maakte de hele situatie niet minder moeilijk. Froukje en Noortje waren allebei zijn dochters, hij wilde hun beiden gelukkig zien. Vermoeid streek Barend over zijn ogen, niet wetend wat hij moest zeggen. Eén ding wist hij wel: dit was een enorme puinhoop. Hoe moest na dit ooit de harmonie in zijn gezin weer terugkeren? Hij zag de toekomst somber in.

Froukje had in een mist van tranen het hotel verlaten, met maar één gedachte in haar hoofd: ze moest hier weg. Weg van de mensen waar ze van hield en die ze vertrouwde, maar die haar willens en wetens bedrogen. Het beeld van Leen en Noortje in elkaars armen stond op haar netvlies gegrift. Ze botste tegen een paar gasten op die net aankwamen, maar dacht er niet aan om zich te verontschuldigen. Ze sprong in de taxi die de mensen afgeleverd had en noemde met trillende stem haar adres. Pas toen de wagen de inrit van haar huis opreed, realiseerde ze zich dat ze haar tas en dus ook haar portemonnee niet bij zich had. Gelukkig had ze wel haar huissleutel in haar broekzak zitten, anders had ze nu voor een dichte deur gestaan. Ze zegende in stilte deze vreemde gewoonte, waar iedereen haar altijd om uitlachte.

„Even geld halen binnen," mompelde ze. Even later rekende ze af en zag hoe de taxichauffeur met hoge snelheid wegreed. Toen was ze alleen. Echt alleen, bedacht ze bitter. Een paar maanden geleden had ze gedacht dat ze eenzaam was, omdat zij de enige binnen hun familie was zonder relatie, maar de gevoelens van toen waren niets vergeleken bij de triestheid die haar nu overviel.

Doelloos ging ze op de bank zitten, niet wetend wat ze moest doen. Hoe kon dit? Leen en Noortje, Leen en Noortje, die twee namen bleven maar door haar hoofd malen. Leen en Noortje, niet langer Leen en Froukje. Haar hele leven lag plotseling overhoop. Zonder dat ze zich er van bewust was, liepen de tranen over haar wangen. Ze voelde zich verraden. Sterker nog, ze wás verraden, besefte ze. Door Leen, de man waar ze verliefd op was en waar ze haar leven mee wilde delen en door Noortje, haar eigen zus. De zus die zo'n moeilijke tijd achter de rug had en waarvoor ze alles had willen doen om haar te helpen en te troosten bij het grote verdriet dat ze met zich meedroeg. Nu, dat verdriet had dus niet zo diep gezeten, dacht Froukje bitter. De eerste de beste man die zich aangediend had, mocht Frits' plaats innemen. Dat die man al een vriendin had, telde blijkbaar niet. Ooit hadden ze samen een pact gesloten, herinnerde Froukje zich. Noortje en zij zouden zich nooit aan een man binden en als twee oude vrijsters samen in een huis gaan wonen, compleet met kat en kanariepiet. Natuurlijk was dat nooit serieus bedoeld geweest, maar dat Noortje haar zo zou verraden had ze nooit verwacht. Noortje, de lieve, zorgzame en minst egoïstische van hun gezin. Het zou wat! Diezelfde Noortje

163

draaide er haar hand dus blijkbaar niet voor om om haar eigen zus een mes in de rug te steken als dat haar beter uitkwam. Met haar zogenaamde zielige gedoe had ze Leen precies daar gekregen waar ze hem hebben wilde. In haar armen!

En waarschijnlijk ook in haar bed, dacht Froukje. Haar verdriet begon plaats te maken voor woede. Wie weet hoe lang ze haar al bedrogen zonder dat zij iets gemerkt had. Op de avond van de tweede kerstdag had zij, Froukje, Leen mee naar binnen gevraagd en dat had hij geweigerd. Waarschijnlijk was hij van haar huis af direct doorgereden naar Noortjes flat, lachend om naïeve Froukje. Natuurlijk had hij haar afgewezen. Hij had haar tenslotte helemaal niet nodig voor lichamelijk gerief, daar had hij Noortje voor. Diezelfde dag had ze hen trouwens ook betrapt in de keuken bij hun ouders thuis, maar toen had ze nog gedacht dat Leen Noortje alleen maar troostte. Ze had nota bene de keuken nog verlaten op een teken van Leen, wist Froukje weer. Wat zouden ze daar een lol om gehad hebben!

Ze sprong op en begon door haar ruime woonkamer te ijsberen, te rusteloos om stil te blijven zitten. De gedachten tolden door haar hoofd, zonder dat het haar lukte om ze te ordenen. De telefoon begon te rinkelen, maar Froukje negeerde dat geluid. Haar vrienden belden haar overdag niet omdat ze wisten dat ze dan aan het werk was, dus dit was ongetwijfeld of Leen of één van haar familieleden. Ze kon het op dat moment niet opbrengen om met iemand te praten. Misschien zelfs wel nooit meer, dacht ze somber. Hoe kon ze ooit nog iemand vertrouwen? De rest van haar familie was misschien allang op de hoogte van de affaire tussen Leen en Noortje. De bedrogen vrouw wist het immers altijd pas als laatste. Ze kreeg koude rillingen bij het idee dat er wellicht allang achter haar rug om over gesproken werd in het hotel. Het hotel! Plotseling bleef Froukje staan. Daar had ze nog niet eens aan gedacht. Ooit zou ze er weer heen moeten, want haar werk was daar nu eenmaal. Maar ook dat van Leen en dat van Noortje. Ze schudde haar hoofd. Onmogelijk. Niemand kon van haar verlangen dat ze braaf naar haar werk toe zou gaan in deze omstandigheden. Weer rinkelde de telefoon, maar Froukje liep resoluut naar haar slaapkamer. Ze moest hier weg en wel zo snel mogelijk. Ze had nog geen idee waar ze heen moest gaan, als het maar ver weg was. Ze wilde niet geconfronteerd worden met een schuldige Leen, een berouwvolle Noortje of meelevende familieleden. Als dit bekend werd zou ongetwijfeld vanavond haar hele familie op haar stoep staan en dat was wel het laatste waar ze behoefte aan had.

Ze pakte een paar koffers en begon daar willekeurig kledingstukken, ondergoed en toiletartikelen in te stoppen. Voorlopig zou ze ergens een hotelletje zoeken, aan de kust of zo, later zag ze dan wel weer verder. Als ze maar weg was. Wild opende ze de laden van haar kast, waarbij ze tegen het tafeltje ernaast aanstootte. Door deze ruwe behandeling viel de ingelijste foto van haarzelf met Leen op de grond. Froukje raapte hem op en staarde er met branden de ogen naar. Vanachter het glas keken twee lachende, verliefde en gelukkige mensen haar aan. Hoe lang was het nou helemaal geleden dat deze foto gemaakt werd? Een maand, zes weken hoogstens. En nu... Bah! Ze liep naar de hal waar een antieke dekenkist stond die ze gebruikte voor oude foto's, certificaten, tekeningen die ze van Damian en Charity had gekregen en meer van dergelijke papieren die ze niet weg wilde doen. Resoluut liet ze de foto er met lijst en al invallen. Voltooid verleden tijd. Ze zou er heus wel weer overheen komen, hield ze zichzelf moedig voor. Over honderd jaar of zo. Om niet helemaal te verzinken in de poel van verdriet die haar dreigde te overvallen, zocht ze de foto's op waar ze met Tony op stond, haar vorige liefde. Ook met hem was ze gelukkig geweest en ook toen had ze gedacht haar partner voor het leven gevonden te hebben. Maar ook daar was ze overheen gekomen, vertelde Froukje zichzelf streng.

Ze liet de foto's door haar handen glijden en stuitte op een groepsfoto van haarzelf met een aantal vriendinnen van vroeger. Met de meeste had ze nog regelmatig contact, al werd het minder nu ze allemaal een andere richting in waren geslagen. Nicole bijvoorbeeld, die zat al ruim een jaar in Engeland en hoewel het de bedoeling was dat ze daar maar een halfjaartje zou blijven, maakte ze nog geen aanstalten om terug te keren. Ze had een etage gehuurd bij een ouder echtpaar in huis en had het uitstekend naar haar zin.

Ze had Froukje regelmatig dringend gevraagd om eens langs te komen, maar met de opbouw van het hotel was daar nooit iets van gekomen. Even bleef Froukje stil zitten, spelend met de foto in haar handen. Zou ze…? Waarom niet? Engeland was ver weg en als ze bij Nicole logeerde was ze tenminste niet helemaal alleen.

Impulsief zocht Froukje het telefoonnummer van haar vriendin op en voordat ze zich kon bedenken toetste ze het nummer al in.

„Hello," klonk het vrolijk in haar oor.

Froukje slikte. Na alles wat er de laatste maanden voorgevallen was, leek Nicole wel iemand uit een andere wereld. Precies wat ze nodig had nu.

„Hello," zei Nicole voor de tweede keer, iets ongeduldiger nu.

„Hoi, met mij, Froukje," zei Froukje zacht.

„Froukje!" Nicole riep haar naam enthousiast uit. „Meid, wat leuk dat je belt, ik heb zo lang niets van je gehoord. Hoe is het met je? En met die kanjer van een vriend van je? Ga me niet vertellen dat je me belt om me uit te nodigen voor je bruiloft."

„Nou nee, niet echt. Nicole, kan ik een tijdje bij jou logeren? Ik moet hier echt even weg," gooide ze eruit.

Heel even bleef het stil en Froukje wachtte gespannen het antwoord af. „Natuurlijk," zei Nicole toen op de hartelijke, natuurlijke wijze die ze van haar gewend was. „Kom zo snel mogelijk en blijf zo lang als je wilt. Je bent van harte welkom."

„Dank je wel." De tranen stroomden over Froukjes wangen bij de hartelijkheid die haar zo gul werd aangeboden.

Even later verbrak ze de verbinding, nadat ze hadden afgesproken dat Nicole haar een dag later van de boot zou halen. Froukje had gehoopt dat ze zich wat beter zou voelen nu de beslissing genomen was, maar dat was niet zo. Ze had zich nog nooit zo beroerd gevoeld als op dat ogenblik. Hoewel ze ernaar verlangde om weg te gaan, wilde ze met alles wat in haar was dat het niet nodig was, dat ze gewoon hier had kunnen blijven en haar leven met Leen samen had kunnen leiden.

HOOFDSTUK 13

De telefoon bleef maar rinkelen, maar Froukje voelde er niets voor om op te nemen en iemand te woord te staan. Op haar nummermelder zag ze dat er vanuit het hotel gebeld werd, dus dat kon iedereen zijn, maar ze ging er vanuit dat het Leen was die haar probeerde te bereiken. Nou, hij kon het blijven proberen, dacht ze grimmig.

Een uur later werd er aan de deur gebeld en Froukje schrok op. Vanuit haar keuken, waar een erkertje in was gebouwd, keek ze eerst wie er stond. Het was haar vader, zag ze tot haar opluchting. Verderop op de inrit zag ze zijn wagen staan, waarin ze de contouren van haar moeder ontwaarde, waarschijnlijk wachtend of ze wel of niet open zou doen.

Barend keek Froukje onderzoekend aan toen ze even later de deur voor hem opende. „We waren ongerust," zei hij. „En bang dat je in shocktoestand ergens rond liep te dwalen of zo."

„Ik had gewoon geen zin om de telefoon aan te nemen," zei Froukje schouderophalend. „Kom binnen. Het grote nieuws is zeker al bekend?" Ze probeerde het spottend te zeggen, maar haar stem klonk triest.

„Het is een zeer vervelende toestand," zei Barend. Hij maakte een gebaar naar de auto. Froukje liep naar de zitkamer, denkend dat haar vader en moeder wel zouden volgen. Toen ze even later echter gerucht hoorde en opkeek, zag ze behalve haar ouders ook Leen in de kamer staan.

„Wat kom jij hier doen?" vroeg ze scherp. „Sodemieter op, ik heb geen behoefte aan je gezelschap of je mooie verhalen. Doe dat maar bij je nieuwe vriendinnetje, misschien is zij ervan gediend."

„Ik wil graag even met je praten," zei Leen zacht.

„Ik niet met jou." Onwillekeurig merkte ze op dat Leen er doodongelukkig uitzag en heel eventjes kwam er een gevoel van medelijden in haar naar boven, maar dat verdrong ze bewust. Ze gunde het hem dat hij ongelukkig was, dat had hij haar tenslotte ook aangedaan. Trouwens, wie garandeerde haar dat hij zich hier echt beroerd onder voelde? Hij had langer toneelgespeeld, dat had hij vandaag wel bewezen. Dit ongelukkige uiterlijk was waarschijnlijk ook gespeeld.

„Leen heeft gelijk, jullie moeten praten," bemoeide Marga zich er nu mee. „We wisten dat je hem niet binnen zou laten als hij aan de deur zou staan, daarom hebben we het op deze manier gedaan. Je kunt het niet negeren, Froukje. Het is allemaal al erg genoeg."

„Voor mij alleen dan toch zeker, voor jullie maakt het geen verschil. Leen wordt gewoon jullie schoonzoon, alleen met een andere dochter," hoonde Froukje.

„Dit is niet alleen een kwestie tussen jou en Leen, de hele familie heeft ermee te maken, al is het maar omdat we met elkaar samenwerken," zei Marga beslist. „Praat het uit, dat is het enige advies dat ik je kan geven. Wij laten jullie nu alleen, als je ons nodig hebt zitten we in de auto."

Ze gaf een wenk naar Barend en samen verlieten ze het huis. Tussen Leen en Froukje bleef het lange tijd stil. Ze vroeg hem niet te gaan zitten, zodat ze als vreemden tegenover elkaar stonden. Froukje met haar armen over elkaar, niet van plan om hem op weg te helpen en Leen enigszins schutterig, duidelijk zoekend naar woorden.

„Het spijt me zo," zei hij uiteindelijk. „Ik weet dat deze woorden makkelijk klinken en dat je er niets aan hebt, maar het is wel zo. Mijn gevoelens gingen met me op de loop. Ik wil en kan dit niet goedpraten, Froukje, maar ik wil dat je weet dat ik het vreselijk vind dat dit gebeurd is."

„Natuurlijk, niemand vindt het leuk om betrapt te worden op bedrog," zei Froukje kil.

„Daar gaat het niet om, het gaat om jou."

„Wat ik voel is voor jou niet belangrijk, dat heb je me vandaag bewezen. En niet alleen vandaag, waarschijnlijk al veel langer."

„Dat is niet waar. Noortje en ik hebben niets samen, niet wat jij bedoelt. We hebben één keer gezoend en dat was vandaag."

„Waarom zou ik je geloven?" Froukje haalde haar schouders op in een poging onverschillig over te komen, maar dat mislukte jammerlijk. Ze moest moeite doen om haar tranen binnen te houden. Ze wilde niet huilen in het bijzijn van iemand die haar zo behandeld had, daar was ze te trots voor. „Vorige week hebben we het er nog over gehad omdat het me opviel dat jullie elkaar ontliepen, nu weet ik dat dat slechts uiterlijke schijn was. Een poging om niet te laten merken dat er iets speelde."

Leen schudde zijn hoofd. „Zo was het niet. Froukje, mag ik je alsjeblieft uitleggen hoe het allemaal gegaan is?"

„Daar heb ik geen behoefte aan," antwoordde ze afwijzend. „Ik heb liever dat je weggaat. Van mij zullen jullie geen last hebben, ik vertrek vanavond nog naar Engeland. Ik hoop dat je heel gelukkig wordt met Noortje samen." Dat laatste klonk ronduit hatelijk.

„Ik begrijp dat je tijd nodig hebt om dit te verwerken," zei Leen na een korte stilte. „Ik besef ook dat ik geen enkel recht van spreken heb, maar ik wil heel graag open kaart met je spelen."

„Daar ben je te laat mee."

„Mag ik je schrijven? Op papier zetten hoe het allemaal gegaan is?"

„Je gaat je gang maar, ik kan je alleen niet beloven dat ik het ook zal lezen."

„Ik heb je nooit pijn willen doen," zei Leen zacht. Hij stak aarzelend zijn hand naar haar uit, maar Froukje negeerde dat gebaar. „Laten we het op zijn minst uitpraten. Wat wij hadden was te mooi om het op deze manier te laten eindigen."

„Daar kom je lekker op tijd achter," zei Froukje op spottende toon. Ze liep naar de deur en hield die demonstratief voor hem open. Zwijgend liep Leen langs haar heen. In de hal draaide hij zich nog een keer om.

„Het spijt me echt heel erg, Froukje."

„Mij ook," zei ze zacht. „Ik dacht echt dat wat wij hadden voor altijd was. Weet je wat ik niet begrijp? Je hebt bijna een jaar lang achter me aan gezeten en me mee uit gevraagd. Nu ik daar eindelijk voor gezwicht ben, belazer je me met een ander. Waarom? Wat mankeert er aan mij?"

„Helemaal niets," zei hij heftig. „Denk dat alsjeblieft nooit. De enige die fouten heeft gemaakt ben ik. Jij niet, Noortje niet, ik alleen. Ik wilde dat ik het kon verklaren, maar dat kan ik niet. Mijn gevoelens zijn één grote puinhoop."

„De mijne ook. Ik ben verdrietig, maar ook woedend op jullie," bekende Froukje.

„Dat lijkt me niet meer dan logisch, ik verdien ook niet beter. Je hoeft niet weg te gaan, ik zal het hotel wel verlaten."

Froukje schudde haar hoofd. „Mijn beslissing is al genomen. Ik moet er niet aan denken om morgen gewoon aan het werk te gaan alsof er niets voorgevallen is, zelfs niet als jij er niet bent. Ik kan het niet, ik heb tijd nodig."

„Maar het is jouw hotel," wierp hij tegen. „Jij hebt het start-schot ervoor gegeven, jij kwam met de ideeën."

„En nu ga ik er weg."

Het klonk beslist en Leen wist dat hij er niets meer tegenin kon brengen. Hij had zich nooit zo schuldig gevoeld als nu. Froukje hield met hart en ziel van het hotel dat ze speciaal opgezet had om haar familie bij elkaar te houden, nu was hij er de oorzaak van dat alles uit elkaar viel.

Ongelukkig liep hij naar buiten, verdrietig nagestaard door Froukje. Dit was het dan, het definitieve einde van een relatie waarvan ze had gehoopt en verwacht dat het voor altijd was. Net als toen met Tony. Die verhouding was lang-zaam maar zeker doodgebloed, nu lag het anders. Dit einde was als een schok voor haar gekomen op een moment dat ze het het minst verwachtte.

Ze zag dat haar ouders uit de auto stapten en met Leen praatten. Barend bood aan om hem thuis te brengen, maar Leen schudde zijn hoofd. Hij wilde even alleen zijn, probe-ren tot rust te komen. Zoals Froukje wel verwacht had, kwamen Marga en Barend naar haar toe.

„Kind, wat vind ik dit ellendig," zei Marga verdrietig terwijl ze Froukje tegen zich aan drukte. De troostende aanwezig-heid van haar moeder was net wat Froukje nodig had om lucht te kunnen geven aan haar gevoelens. De tranen die haar de hele dag al dwars hadden gezeten, vonden nu een uitweg. Wild snikkend huilde ze uit tegen Marga's schou-ders, terwijl Barend haar onbeholpen op de rug stond te kloppen.

„Hoe moet het nu verder?" vroeg hij even later. Froukje was weer wat gekalmeerd en ze zaten met zijn drieën aan de grote tafel, voorzien van sterke, door Marga gezette kof-fie.

„Ik ga weg," vertelde Froukje voor de tweede keer. „Naar Engeland, bij Nicole logeren."

„Vluchten is geen oplossing," merkte Marga op.

„Het is geen vlucht. Of, nou ja, eigenlijk wel, maar alles is beter dan hier blijven en toekijken hoe gelukkig Leen en Noortje met elkaar zijn," zei Froukje bitter. „Ik moet dit eerst verwerken voor ik ze onder ogen kan komen. Vooral Noortje. Je vriendin belazeren is toch nog wat anders dan de vriend van je eigen zus inpikken."

„Val haar niet te hard," verzocht Marga ernstig. „Dit is niet iets wat ze beraamd had of zo. Ik heb een hele tijd met Noortje gepraat en ze vindt dit net zo erg als jij. Ze is van Leen gaan houden, maar was absoluut niet van plan om iets met die gevoelens te doen. Ze wilde..."

„Ik hoef het niet te horen," onderbrak Froukje haar. „En verwacht zeker niet van me dat ik ook nog medelijden met haar ga krijgen omdat ze er zogenaamd niets aan kon doen. Ze stribbelde absoluut niet tegen, dat heb ik met eigen ogen kunnen constateren."

„Het overviel haar net zo erg als jij. Maar goed, ik begrijp dat je op dit moment niet zo mild over haar kunt denken. Wanneer ga je weg?" veranderde Marga wijselijk van onderwerp. Ze wilde geen partij kiezen in dit conflict. Allebei haar dochters waren haar even lief en ze had begrip voor allebei hun gevoelens.

„Vanavond nog," vertelde Froukje. „Nicole haalt me morgen van de boot, dat is al afgesproken. Ik weet nog niet voor hoe lang, dat merk ik vanzelf wel. In ieder geval tot ik alles verwerkt heb."

„Wij brengen je naar de boot," zei Barend resoluut. „Nee, geen tegenspraak. Ik wil niet dat je in je eentje vertrekt, als een dief in de nacht."

„Graag," accepteerde Froukje met een waterige glimlach. Als haar ouders niet naar haar toe waren gekomen, was ze inderdaad in haar eentje weggegaan, zelfs zonder afscheid te nemen. Toch was ze blij met dit aanbod. Ze voelde zich al zo verloren en verlaten, op reis gaan zonder weggebracht te worden zou dat gevoel ongetwijfeld nog eens aangewakkerd hebben.

Dit was typisch een reactie voor haar ouders, dacht ze met een warm gevoel. Marga die probeerde te bemiddelen en Barend die zijn mond hield omdat hij niet wist wat hij moest zeggen, maar die wel onmiddellijk klaar stond voor praktische hulp. Ze zou ze missen.

De bootreis duurde lang voor Froukje. Ze had een binnenhut zonder ramen geboekt, maar omdat ze zich daar zo opgesloten in voelde bracht ze de nacht buiten op het dek door. Het was steenkoud, de kou binnen in haar lichaam was echter sterker zodat ze weinig notie had van de snijdende wind die vanaf zee meedogenloos haar lichaam teisterde. Bibberend, met een bleek gezicht en met rode, opgezwollen ogen van het huilen en de doorwaakte nacht, zette ze de volgende dag voet op Engelse bodem. Nicole herkende haar eerst niet eens. Ongelovig staarde ze naar het gezicht van haar vroegere schoolvriendin. Was dit Froukje? Dezelfde Froukje die er altijd zo fris en stralend uitzag? Er moest de laatste tijd heel wat met haar gebeurd zijn, begreep Nicole.

„Je ziet eruit als een spook," zei ze onparlementair, na een hartelijke begroeting. „Kom op, we gaan meteen naar huis. Volgens mij ben jij hard toe aan een kop koffie en een paar uur slaap."

Froukje glimlachte, hoewel ze het gevoel had dat haar

gezicht stijf bevroren was. Dit was Nicole ten voeten uit. Die nam geen blad voor de mond, dat had ze nog nooit gedaan. Sommige mensen vonden haar dominant en onverschillig, een echte rouwdouwer, maar Froukje wist dat ze een gouden hart bezat en altijd voor iedereen klaar stond. Dat bleek nu ook wel weer. De vanzelfsprekende manier waarop Nicole had gezegd dat ze welkom was, zonder te weten wat er aan de hand was en zonder verwijten te maken dat zij, Froukje, pas belde nu het haar uitkwam, tekende haar warme karakter.

Tijdens de rit naar Nicole's woning, in een buitenwijk van Londen, spraken de vriendinnen niet veel. Froukje was doodmoe en Nicole had wijselijk besloten zich niet op te dringen. Als Froukje wilde praten, gebeurde dat vanzelf wel. Zo niet, dan respecteerde ze dat ook, hoewel ze heimelijk stiknieuwsgierig was.

Nicole huurde een etage van een oud, statig huis, wat ooit betere tijden had gekend. De verf bladderde op de kozijnen en op de imposante deur en de vuile muren vertoonden verschillende scheuren, toch ademde het huis stijl en klasse uit. De benedenverdieping werd bewoond door een ouder echtpaar die hier de dag van hun trouwen ingetrokken was en het huis absoluut niet wilde verlaten, ook al was het veel te groot nu hun vier kinderen op zichzelf woonden. Boven Nicole, op de tweede etage, woonde een jong stel samen. Deze informatie kreeg Froukje allemaal te horen op de trap naar Nicole's domein. Het was een ruime etage, zag ze. Twee behoorlijk grote kamers, een klein zijkamertje en in de gang een kleine douche met toilet. In de hoek van de zitkamer was een afgeschermd keukenhoekje. „Dat hebben ze speciaal aan laten leggen toen ze besloten kamers te gaan verhuren," vertelde Nicole met een handgebaar naar beneden, waar het oude echtpaar woonde. „Ze wilden namelijk geen last van huurders die hun sanitair moesten gebruiken en ze wilden ook geen geruzie tussen de huurders onderling, vandaar die verbouwing op allebei de etages."

„Ideaal," vond Froukje. „Meid, ik had er geen idee van dat je zo'n vorstelijk onderkomen bezat, ik dacht dat je ergens op een klein, kaal kamertje huisde."

„Ach, vergeleken bij jouw kapitale villa is het natuurlijk niets," grijnsde Nicole onbekommerd en totaal niet jaloers. „Maar ik ben er dolblij mee. Dit is echt een lot uit de loterij, zeker als je het vergelijkt met mijn vorige woning, dat was een krot. Ga lekker zitten, gooi die tijdschriften maar op de grond."

Terwijl Nicole de keuken indook keek Froukje aandachtig rond. Het zag er net zo uit als ze zich Nicole's meisjeskamer in haar ouderlijk huis herinnerde. Overal slingerden tijdschriften, boeken en kleding. Het kleine salontafeltje stond vol met vuile glazen en borden, plus twee uitpuilende asbakken. De planten die her en der in de kamer verspreid stonden vertoonden gele bladeren en alles was bedekt met een laagje stof. Toch was het zeker niet ongezellig. De ruimte ademde helemaal Nicole's sfeer, bovendien smaakte de koffie waar Nicole mee aan kwam zetten uitstekend en het geroosterd brood met gebakken eieren dat ze voor Froukjes neus neerzette rook heerlijk.

„Je bent een waardeloze huisvrouw, maar een prima kok," complimenteerde Froukje haar dan ook terwijl ze met grote happen het eenvoudige maal verorberde. Ze merkte tot haar eigen verbazing dat ze een razende honger had. Nicole grijnsde. „Verder dan dit gaan mijn culinaire kwaliteiten niet," bekende ze. „Ik werk vijf dagen in de week in een restaurant waar ik ook de avondmaaltijd nuttig, de andere twee dagen eet ik dus brood, pizza of patat."

„Ik had het kunnen weten. Je bent nog net zo'n chaoot als vroeger," zei Froukje terwijl ze het laatste slokje van haar koffie nam. „Dit was heerlijk, bedankt. Niet alleen voor het eten trouwens, ook bedankt dat ik meteen mocht komen."

„Je klonk alsof het nodig was." Nadenkend keek Nicole haar aan. „Wil je erover praten? Zo niet, dan is het ook goed. Je hoeft je niet verplicht te voelen je vuile was buiten te hangen omdat je hier zo lang logeert."

„Maar je wilt het wel graag weten," begreep Froukje meteen. Ze kende Nicole langer dan vandaag. „Eigenlijk valt er niet zoveel te zeggen. Het is het gewone, klassieke verhaal van de bedrogen vriendin. Leen heeft een ander en ik betrapte ze." Het klonk nonchalant, maar Nicole hoorde het verdriet in haar stem.

„Ik vermoedde al zoiets," zei ze langzaam. „Meestal gaat het om de liefde als iemand plotseling weg wil. Goh, ik heb Leen maar één keer ontmoet tijdens mijn laatste vakantie in Nederland, maar dit had ik nooit verwacht. Hij leek zo gek op je."

„Uiterlijke schijn," zei Froukje bitter. „Het ergste weet je nog niet eens, degene met wie hij me bedrogen heeft is Noortje."

„Nee!" Nicole, die net een slokje van haar koffie wilde nemen, bleef dwaas met het kopje halverwege haar mond zitten. „Noortje? Je zus Noortje? Frouk, dat kan niet. Je moet je vergissen. Zoiets doet zij niet."

„O nee? Ik betrapte ze op heterdaad, anders had ik het waarschijnlijk ook niet geloofd. Lieve, zachte Noortje met haar hoogstaande principes," zei Froukje spottend.

„Dit vind ik echt helemaal niets voor haar. Wat zeiden ze?"

„Je denkt toch niet dat ik hun smoesjes afgewacht heb? Toen ze doorhadden dat ik stond te kijken riepen ze dingen als 'het spijt ons', 'dit wilden we niet' en 'het gebeurde gewoon', je kent dat wel. In praktisch ieder romannetje staan zulke zinnen. Meer hoefde ik niet aan te horen. Ik ben naar huis gegaan en heb jou gebeld."

„En nu ben je hier." Nicole stond op en omhelsde Froukje hartelijk. „Ondanks alles hoop ik dat je hier een leuke tijd zult hebben. Ik vind het in ieder geval fantastisch dat je er bent, al is de aanleiding dan minder geslaagd. Probeer dit een beetje als vakantie te beschouwen. Trouwens, ik heb nog wel een paar leuke, vrijgezelle vrienden."

„Nee, dank je hartelijk," wees Froukje dit aanbod vriende-lijk, maar beslist af. „Ik heb mijn buik vol van mannen."

„Jammer, je kunt er zoveel plezier mee hebben," grijnsde Nicole ondeugend. „Afijn, misschien bedenk je je nog wel, dan geef je maar een seintje. Niet getreurd meid, geen hand vol, maar een land vol, zeg ik altijd maar. Mannen zijn door de natuur geschapen om vrouwen te plezieren, niet om er verdriet van te hebben. Als de één niet aan je verwachtin-gen voldoet, zoek je gewoon een ander. En er zitten echt wel betrouwbare exemplaren tussen. Geloof me, ik heb het uitgeprobeerd." Ze knipoogde en Froukje glimlachte terug. Nicole, de mannenverslindster. Zo had ze altijd al bekend gestaan en zo te horen was ze niets veranderd. Gelukkig niet. Nicole was een schat met een grote mond, maar met het hart op de juiste plaats. Van haar kon Froukje dergelij-ke opmerkingen hebben, als iemand anders zoiets tegen haar gezegd zou hebben zou het waarschijnlijk op ruzie uit-gedraaid zijn. Maar Nicole was Nicole, die was uniek. Die flapte alles eruit wat in haar hoofd opkwam en kwam er meestal nog mee weg ook.

Omdat Nicole gewoon moest werken, zat Froukje een paar uur later alleen in de woning, iets wat ze eigenlijk wel even prettig vond. Hoe graag ze ook in Nicole's gezelschap was, in haar nabijheid had je weinig kans om na te denken en dingen op een rijtje te krijgen. En dat was wat ze wilde, alles een plaats geven. Ooit moest ze terug om haar leven weer op te pakken, daar was Froukje zich van bewust. Ze wilde trouwens niet anders. Haar leven was in Nederland, in hotel Margaretha. Op dit moment wist ze echter niet hoe dat ooit weer gerealiseerd moest worden, met Leen en Noortje op dezelfde plek. Misschien dat Leen een andere baan zou zoeken als de familie dat zou willen, maar Noortje bleef altijd haar zus, hoe dan ook. Ze kon zich niet voorstellen dat ze ooit weer op een normale manier met haar om zou kunnen gaan, toch zou dat wel moeten als ze terugkeerde naar haar werk en haar leven thuis. De plannen om een hotel op te starten om op deze manier de familiebanden te versterken, leken zich nu tegen haar te keren. Juist door het hotel was het onmogelijk om Noortje te ontlopen of om haar uit haar leven te bannen.

Haar gedachten bleven constant om dat onderwerp heen cirkelen. Eigenlijk, ontdekte ze tot haar eigen verbazing, miste ze het hotel nog meer dan Leen. Waarschijnlijk omdat hij haar zo gekwetst had dat haar liefdevolle gevoelens voor hem tijdelijk ondergesneeuwd waren door woede.

Na een paar dagen, dagen die ze voornamelijk binnenshuis doorbracht en benutte door Nicole's verwaarloosde huishouding te doen, ontving ze een brief van Leen. Haar hart miste een slag toen ze de afzender op de envelop zag staan. Hij had gezegd dat hij haar zou schrijven hoe het gegaan was, maar ze had het niet echt verwacht. Besluiteloos draaide ze de envelop in haar handen heen en weer, blij dat Nicole niet thuis was op het moment dat de post bezorgd was. Die zou hem onmiddellijk openritsen om vervolgens ongezouten kritiek te leveren op alles wat erin stond. Na enkele minuten stopte ze de brief resoluut in haar handtas, in een met een rits afgesloten vakje. Misschien kon ze ooit de moed opbrengen om hem te lezen, maar op dat moment kon ze het nog niet aan. Ze wilde niet geconfronteerd worden met alles wat er voorgevallen was, niet opnieuw de vernedering voelen van het bedrog. Ze hoefde niet te lezen hoeveel Leen en Noortje van elkaar hielden of, erger nog, dat het niks voorstelde en het iets eenmaligs geweest was. Met dat eerste kon ze nog vrede hebben, al was het wrang, maar met het tweede niet. Dat maakte het helemaal zo goedkoop.

HOOFDSTUK 14

„Volgens mij is het de hoogste tijd voor een lunchpauze," zei Anneke met haar hoofd om de deur van de crèche. „Ga je mee? Ik vind het altijd zo ongezellig om in mijn eentje te eten."

„Ik kom eraan." Noortje gaf nog wat instructies aan de kinderleidsters en volgde Anneke door het smalle gangetje richting eetzaal. Daarbij passeerden ze de kapsalon, waar ze onwillekeurig allebei even naar binnen keken. Tanja deed haar best om de afwezigheid van Froukje op te vangen, met behulp van een nieuw aangenomen kapster, toch was het er anders. Froukjes sfeer was weg. Alles zag er een beetje stoffig uit en Anneke ontdekte een paar vlekken in de wasbak, iets wat onder Froukjes leiding ondenkbaar was geweest. Die koesterde haar kleine salon als een baby, alles moest altijd perfect in orde zijn.

„Alles is anders zonder Froukje," zuchtte Anneke. „Ik mis haar."

„Klinkt dat als een verwijt?" vroeg Noortje op haar hoede. Ze kende Anneke en wist dat die nogal sensatiebelust was.

„Natuurlijk niet, al is het wel een vreemde situatie. Ik zou er in haar geval waarschijnlijk ook vandoor zijn gegaan."

„Sjoerd heeft een verhouding gehad toen jullie getrouwd waren en weggaan is nooit in je hoofd opgekomen," zei Noortje een beetje gepikeerd.

„Maar die Helena was mijn zus niet, dat maakt toch wel een verschil. Ik kende haar niet eens persoonlijk. Hoe gaat het nu trouwens tussen Leen en jou?" vroeg Anneke weinig tactisch.

Noortje haalde diep adem. Anneke was ook af en toe net een olifant in een porseleinkast. Die wilde altijd het naadje van de kous weten en schroomde ook niet om daar naar te vragen. Waar iedereen omzichtig het onderwerp omzeilde en net deed of er niets bijzonders aan de hand was, kwam Anneke gewoon ter zake.

Ik vroeg me al af waar ik die uitnodiging voor de lunch aan te danken had, dacht Noortje plotseling geamuseerd. Maar ach, misschien was deze benadering wel beter dan de peilende blikken die ze voortdurend in haar rug voelde prikken en de overdreven manier waarop het onderwerp als gesprek vermeden werd. Het was gewoon opvallend hoe weinig er tegen haar gesproken werd over Leen of Froukje. Anneke had tenminste geen last van valse schaamte.

Het had trouwens nog lang geduurd voor ze erover begon, Froukje was inmiddels al enkele weken weg, maar behalve af en toe een telefoontje naar Barend en Marga hoorde niemand iets van haar.

„Leen en ik kunnen nog steeds goed met elkaar opschieten," zei Noortje neutraal terwijl ze plaats nam aan een leeg tafeltje in de eetzaal. Het was al bijna twee uur, dus de meeste gasten hadden al gegeten. Op een enkel vol tafeltje na was het rustig in de grote zaal.

„Het was anders wel meer dan alleen goed met elkaar overweg kunnen," merkte Anneke spits op. „Froukje is tenslotte niet voor niets weggegaan. Er deden hier de wildste verhalen de ronde, onder aanvoering van Gerda. Ik heb trouwens gemerkt dat Leen en jij elkaar ontlopen."

„Waarom vraag je dan hoe het gaat tussen ons, als je zo'n scherp opmerkster bent?"

Anneke haalde haar schouders op. „Nou ja, ik ben gewoon nieuwsgierig. Jullie waren zo verliefd op elkaar dat het tot een breuk met Froukje kwam en nu bekijken jullie elkaar opeens niet meer. Is de liefde plotseling over?"

Tegen wil en dank schoot Noortje in de lach. „Anneke, je bent onverbeterlijk! Maar goed, je komt er tenminste eerlijk voor uit dat je nieuwsgierig bent, in tegenstelling tot anderen. Leen en ik hebben niets met elkaar, als je dat bedoelt. Daar is het nog veel te vroeg voor. De omstandigheden zijn nu eenmaal niet van dien aard dat wij eens lekker verliefd kunnen zijn."

„Waarom niet? Froukje is weg, die heeft er geen last van."

„Zo simpel ligt het niet. Ik kan niet zomaar iets met Leen beginnen en mijn geluk bouwen op het verdriet van Froukje. We vinden het al erg genoeg dat het op deze manier gelopen is, dat gaan we niet nog erger maken door de dingen te overhaasten."

„Waar wacht je dan op? Op toestemming van Froukje?" vroeg Anneke cynisch. „Sorry hoor, maar ik zie het probleem niet. Jij houdt van Leen, Leen houdt van jou, klaar. Natuurlijk is het rot voor Froukje, maar het maakt het voor haar echt niet minder zwaar als jullie hier met zijn tweeën lopen te kniezen in plaats van gewoon voor jullie gevoelens uitkomen. Iedereen weet toch allang hoe het zit."

„Laat dat nou maar aan onszelf over," zei Noortje lichtelijk geërgerd. „Wij doen het op onze manier. Tenslotte bemoei ik me ook niet met jouw huwelijk."

Ze bedankte de serveerster voor het eten wat op hun tafeltje neer werd gezet en viel met smaak op het verse brood aan. Het was al laat en ze had echt trek. In tegenstelling tot Noortje zat Anneke een beetje lusteloos met haar eten te spelen.

„Geen trek?" informeerde Noortje achteloos.

„Niet echt." Alsof ze op deze vraag gewacht had schoof Anneke haar bord opzij. „Ik heb ook wel iets anders aan mijn hoofd dan eten. Ik ben weer zwanger."

„Echt? Wat fijn voor je. Gefeliciteerd," zei Noortje gemeend. „Wat heerlijk dat het alweer zo snel raak is na die operatie. Dat had ik niet verwacht."

„Ik ook niet en eerlijk gezegd had dat me ook veel beter uitgekomen." Anneke zuchtte. „Dat heb ik weer, hoor. Legio vrouwen klagen dat ze te lang op een zwangerschap moeten wachten terwijl het bij mij in één keer raak is. Ik had veel liever een jaar gewacht."

„Dan had je voorbehoedsmiddelen moeten gebruiken," zei Noortje terecht. Ze zwaaide naar Lieke die de eetzaal binnenkwam.

„Is dit een familielunch?" lachte Lieke. Ze schoof een stoel bij en kwam erbij zitten. „Gezellig, zo met zijn drieën."

„Vieren," verbeterde Noortje haar ondeugend.

„Hè?" Vragend keek Lieke om zich heen.

„Anneke is zwanger."

„O ja? Gefeliciteerd. Dus Damian en Charity krijgen toch nog een broertje of zusje, wat leuk."

Anneke zuchtte. „Zo reageerde Noortje dus ook al, maar ik sta nog steeds niet te juichen. Het is me te snel na alles."

„An, dit is de eenentwintigste eeuw, als je niet zwanger wilt worden hoeft dat ook niet," zei Lieke. „Dus dit had je eerder moeten bedenken."

„Dat is makkelijk gezegd, achteraf. Jullie weten dat het tussen Sjoerd en mij niet best ging de laatste tijd en dat had alles te maken met die vorige zwangerschap. Hij wilde het kind graag en ik niet, dat was de kern van het probleem. We hebben het uitgepraat en besloten er nog een keer voor te gaan en ik durfde niet goed te zeggen dat ik daar nog niet aan toe was, want ik was bang dat we dan opnieuw ruzie zouden krijgen. Ik ging er vanuit dat het nog wel een tijdje zou duren vanwege die operatie," vertelde Anneke.

„Ik vind het niet slim," zei Lieke eerlijk. „Ja, kijk maar niet zo verontwaardigd, zo denk ik er nu eenmaal over."

„Het is altijd makkelijk oordelen als je niet in hetzelfde schuitje zit," zei Anneke kortaf.

„Het is voor mij anders een bekend probleem. David wil ook heel graag kinderen, maar ik nog niet. Mijn werk vind ik nog te belangrijk om dat opzij te schuiven voor een gezin, bovendien vind ik mezelf nog te jong. In plaats van David zijn zin te geven heb ik dat gewoon tegen hem gezegd. Sorry hoor An, maar het is geen seconde in mijn hoofd opgekomen om net te doen of ik er hetzelfde over denk als hij, alleen maar om geen ruzie te krijgen."

„Respecteert David jouw besluit eigenlijk?" wilde Noortje weten.

„Hij is er niet blij mee," zei Lieke. „Maar ik vind dat allebei de partners er honderd procent achter moeten staan. Het zou toch belachelijk zijn als ik zwanger zou worden omdat David dat graag wil?"

„Dat is wel erg zwart-wit gesteld. Wij hebben al twee kinderen, dat maakt de situatie sowieso al anders. Bovendien is het niet zo dat ik helemaal geen kind meer wil, ik had alleen liever even gewacht. Ik vind trouwens dat jij er erg rationeel over praat. Davids mening wordt erg makkelijk opzij geschoven, heb ik de indruk."

Lieke haalde haar schouders op. „Het onderwerp kinderen krijgen is nu eenmaal niet iets om over te onderhandelen. Zolang ik er zelf niet achter sta gebeurt het niet, dat lijkt me logisch. Trouwens, waar hebben we het over? Ik ben tweeëntwintig, mijn biologische klok laat nog wel even op zich wachten. David is het er overigens helemaal mee eens dat ik er niet aan moet beginnen als ik niet wil, hij vindt het alleen jammer dat de zaken zo liggen. Ooit zal het wel veranderen, als mijn werk me wat minder opslokt. Op dit moment is dat het belangrijkste."

„Belangrijker dan je man?" vroeg Noortje spits.

„Je weet best hoe ik dat bedoel," ontweek Lieke een rechtstreeks antwoord op die vraag.

„Hoe vindt Sjoerd het trouwens? Ik heb hem er nog niet over gehoord."

„Ik ga het hem vanavond vertellen," zei Anneke. „Bij een intiem dineetje, compleet met kaarslicht. Heel clichématig, maar zoiets verwacht hij wel. Sjoerd is wat dat betreft nogal traditioneel ingesteld. Zeg dus tegen niemand nog iets, want ik wil niet dat hij het van een ander te horen krijgt vandaag."

„Ma en pa zullen er ook wel blij om zijn," zei Noortje terwijl ze haar stoel naar achteren schoof en opstond. „Eindelijk weer eens positief nieuws binnen de familie. Misschien knapt ma er een beetje van op, want ik vind haar er erg slecht uitzien de laatste tijd."

„Ze is gauw moe," beaamde Lieke dat. „Maar ja, zo vreemd is dat natuurlijk niet na alles wat zich afgespeeld heeft. Stress is een belangrijke factor bij moeheid."

„Ik hoop dat het daar alleen aan ligt," wenste Noortje. „Enfin, ik ga weer aan de slag."

Ze zwaaide nog even naar haar zus en schoonzus en liep de eetzaal uit, daarbij bijna Leen omver lopend. Geschrokken hield ze haar pas in. Sinds die bewuste middag hadden ze weinig contact gehad. Ze wisten allebei hoe hun gevoelens ervoor stonden, maar hadden besloten het voorlopig even op zijn beloop te laten. Geen van tweeën wilden ze zich zomaar in een nieuwe relatie storten. Normaal met elkaar omgaan bleek echter een zeer moeilijke opgave, dus ontliepen ze elkaar zo veel mogelijk. Om haar voor een val te

186

behoeden pakte Leen Noortje stevig vast, waarop haar lichaam meteen reageerde. Haar hart begon te bonzen en haar maag maakte een klein sprongetje. Het liefst had ze zich tegen hem aangedrukt, maar met moeite beheerste Noortje zich.

„Sorry," zei ze met een rood hoofd en neergeslagen ogen. „Ik lette niet op."

„Het geeft niet," antwoordde Leen automatisch. Hij liet haar arm los en ze ging er meteen vandoor. Met pijn in zijn ogen keek Leen haar na. Hoe lang zou deze situatie zich nog zo voort laten slepen? Hij was het er helemaal mee eens geweest om niets te overhaasten, maar inmiddels leken ze wel in een impasse beland. Er zat totaal geen verandering in. Hij hield van Noortje en vroeg zich af hoe lang hij dit nog vol zou houden, aan de andere kant belette zijn schuldgevoel naar Froukje hem om zelf gelukkig te worden. Hoe moest hier ooit verandering in komen?

Het waren moeilijke weken voor Froukje, die ze voornamelijk in haar eentje doorbracht. Ze had tijd en rust nodig om alles op een rijtje te zetten en te verwerken. Nicole had aangeboden om een paar weken vakantie op te nemen, zodat Froukje gezelschap had, maar dat aanbod had Froukje resoluut van de hand gewezen. Nicole was absoluut een schat, maar veel rust gunde ze iemand niet, dacht ze glimlachend bij zichzelf. Nicole was een wervelwind die door het leven heen raasde. Ze begreep niet dat Froukje treurde om een man die haar niet waard was, volgens haar oordeel. Haar motto was: geniet van het leven, zoveel als je kunt. Treuren hoorde daar niet bij. Ze probeerde Froukje regelmatig te bewegen om een avond mee te gaan stappen of om een keer in het restaurant te komen eten waar ze werkte, maar tot nu toe zonder resultaat. Froukje had helemaal geen behoefte aan andere mensen om zich heen. Ze wilde nadenken en dat was iets wat in gezelschap niet lukte.

Als Nicole thuis was, voelde ze zich toch min of meer verplicht om de gezellige logee uit te hangen, al verwachtte Nicole dit niet van haar. Froukje was dan ook iedere dag blij als Nicole de deur achter zich dicht trok om naar haar werk te gaan. Als tegenprestatie voor de logeerpartij hield ze de etage schoon en opgeruimd, werk waarbij ze haar gedachten heerlijk hun gang kon laten gaan. Verder wandelde ze veel in het dichtbij gelegen park, weer of geen weer.

Het waren saaie, maar wel nuttige weken. In gedachten liet Froukje alle gebeurtenissen van de afgelopen tijd nogmaals de revue passeren en ze kwam tot de ontdekking dat ze de relatie met Leen voornamelijk uit eenzaamheid was begonnen. Zij was de enige van de familie die nog single was in die tijd. Noortje, haar enige gelijke, had net Frits weer opnieuw ontmoet, herinnerde Froukje zich. Die leefde in de zevende hemel terwijl zij piekerde over het feit dat ze de enige was zonder partner. Precies op dat moment had Leen haar voor de zoveelste keer mee uitgevraagd en zo was het begonnen. Als Noortje Frits niet tegen het lijf was gelopen, was ze waarschijnlijk nooit op Leens uitnodiging ingegaan, dacht Froukje. Het was een vreemde ontdekking. Raar hoe dingen konden lopen in het leven, peinsde ze. Toch was ze echt verliefd geworden op Leen, het was niet zo dat ze zich alleen uit pure eenzaamheid aan hem had vastgeklampt. Hun eerste avond uit was een succes geworden en die had ze maar al te graag herhaald. Hij was heel veel voor haar gaan betekenen.

„Maar hield je ook echt van hem?" vroeg Nicole haar spits toen Froukje op een dag haar overpeinzingen met haar deelde.

„Natuurlijk." Verwonderd keek Froukje haar vriendin aan. „Waarom vraag je dat?"

„Sorry hoor, maar je klonk nogal klinisch. Hij betekende veel voor je, zei je, dat kan ik van de melkboer ook wel zeggen. Ik moet er niet aan denken om met die man getrouwd te zijn, maar het leven zou wel ingewikkelder zijn zonder hem."

„Je weet best hoe ik zoiets bedoel."

„Nee, niet echt. Houden van is meer dan verliefdheid of iemand graag mogen. Houden van stijgt overal bovenuit. Als je echt van iemand houdt kun je alles aan, alles vergeven en alles verdragen. Dan maakt het niet uit wat iemand doet of nalaat en wat hij wel of niet zegt. Niets anders telt dan meer dan alleen de liefde," zei Nicole beslist.

Froukjes mond zakte open bij deze ontboezeming. Was het echt Nicole die dergelijke dingen zei? Zo had ze haar nog nooit gehoord.

„Heb je soms een romannetje onder je hoofdkussen liggen?" vroeg ze half lachend.

„Ik kan zelf ook wel zoiets bedenken hoor," zei Nicole beledigd. „Bovendien heb ik een ijzersterk voorbeeld."

„Je ouders," begreep Froukje meteen en Nicole knikte. „Juist. Ik heb nog nooit twee mensen gezien die zoveel van elkaar houden als mijn ouders. Ze aanbidden de grond waarop de ander loopt en voor allebei is er maar één iemand echt belangrijk."

„Ze houden ook van jou," verzekerde Froukje haar haastig.

„Dat weet ik." Nicole glimlachte. „Maar het gevoel dat ze voor elkaar hebben is iets unieks. Ik ben er niet jaloers op hoor, tenslotte ben ik nooit iets tekortgekomen, maar het zet me wel eens aan het denken. Ze gedragen zich niet weeïg of zo, maar ze hebben simpelweg niemand anders nodig dan elkaar. Zet ze samen op een onbewoond eiland en ze zullen de rest van hun leven probleemloos gelukkig doorbrengen. En dat is nu net mijn criteria voor een serieuze relatie. Als ik een man tegenkom die verliefde gevoelens in me oproept, vraag ik me af of ik het met hem uit zou houden op een onbewoond eiland. Doorgaans is het antwoord nee, daarom ben ik nog steeds zoekende. Ik wil niet minder dan mijn ouders hebben. Je ziet dus, ik ben niet zo oppervlakkig als je altijd gedacht hebt," eindigde ze lachend.

„Je laat me inderdaad verbaasd staan," bekende Froukje. Ze staarde peinzend voor zich uit. „Eigenlijk vraag je me dus of ik met Leen op een onbewoond eiland zou kunnen wonen? Wil je een heel eerlijk antwoord? Ik weet het niet."

„Dat is te makkelijk, het moet ja of nee zijn."

„Ik weet het echt niet. Ik denk wel dat we het zouden redden samen, maar ik betwijfel of het iets is wat ik zou willen. Nee, ik denk het niet."

„Dat zegt toch wel iets."

„Vind je? Je legt de lat wel heel erg hoog. Jouw ouders hebben een unieke relatie, daar kun je je niet aan optrekken."

„Ik ben in ieder geval niet van plan om voor minder te gaan," sprak Nicole beslist. Ze keek op haar horloge. „Ik moet weg. Ian, Pete en Janet wachten op me, we gaan bowlen. Waarom ga je nou niet eens een keertje mee? Je moet nodig weer eens onder de mensen."

„Een andere keer, nu ben ik er nog niet aan toe," wees Froukje dat van de hand. Ze wist precies wat ze wilde gaan doen en daar had ze Nicole niet bij nodig. Het werd tijd dat ze Leens brief eens ging lezen. Hij zat nu al weken ongeopend in haar tas. Het gesprek met Nicole had haar goed gedaan. Hoewel ze het niet eens was met alles wat ze had gezegd, had ze wel net dat duwtje in haar rug gekregen dat ze nodig had.

Langzaam, bijna aarzelend, pakte Froukje de brief uit haar tas en nog langzamer vouwde ze het vel papier open. *Froukje*, begon Leen simpel. Froukje moest bijna lachen om deze aanhef. Ze kon zich precies voorstellen hoe Leen boven het papier had zitten piekeren hoe hij moest beginnen. Lieve Froukje kon niet in de gegeven omstandigheden, dat ging te ver, maar beste Froukje klonk te onpersoonlijk. Waarschijnlijk ten einde raad had hij dan maar besloten alleen haar naam bovenaan te zetten, als tussenoplossing. Het deed niet eens zo'n pijn, ontdekte Froukje tot haar eigen verbazing. Het was niet zo'n lang epistel wat Leen geschreven had.

Ik kan je niet vaak genoeg vertellen hoe enorm het me spijt dat het zo gelopen is. Vanaf onze eerste ontmoeting was ik gecharmeerd van je en dat gevoel is altijd gebleven. Misschien was het anders gegaan als je direct op mijn toenaderingspogingen ingegaan was en had ik dan eerder ontdekt dat jij toch niet de vrouw van mijn leven bent, maar dat is achteraf gepraat. Toen je eenmaal met me uitging was dat voor mij een droom die werkelijkheid werd. Een jaar wachten werd beloond. Dat gevoel stond voorop tijdens onze relatie. De gevoelens voor Noortje zijn heel langzaam ontstaan, zo langzaam dat ik het niet eens in de gaten had. Ze had me nodig in een moeilijke tijd en ik vond het logisch om voor haar klaar te staan. Dat dit uitmondde in liefde, is niet iets wat ik opgezocht heb. Ik ben het blijven ontkennen voor mezelf, tot dat

noodlottige moment dat ik mezelf niet meer in de hand
had en jij net binnenkwam. Misschien is het wel goed dat
je het hebt gezien, nu kon niemand het meer ontkennen,
maar ik besef hoe ontzettend moeilijk het voor jou
geweest moet zijn. Geloof me, dit had ik je echt willen
besparen. Ik had je gelukkig willen maken en het spijt me
echt heel erg dat dit niet gelukt is. Neem Noortje alsje-
blieft niets kwalijk, zij werd er net zo door overvallen als
jij. Ze houdt van me, maar wilde evenmin aan deze
gevoelens toegeven als ik dat wilde. De kus die jij hebt
gezien, was een samenloop van omstandigheden, geen
vooropgezet plan. Als je wilt dat ik het hotel verlaat zodat
jij terug kan komen, laat het me dan weten. In dat geval
vertrek ik onmiddellijk.
Leen.

De brief eindigde abrupt. Bedachtzaam stopte Froukje het
velletje papier terug in de envelop, om hem er even later
toch weer uit te halen en opnieuw te lezen. En nog eens.
Leen en Noortje hielden dus van elkaar, het ging niet om
een stiekem, spannend vrijpartijtje in het magazijn.
Tenminste, als ze deze brief kon geloven. En hoe kon ze
iemand geloven die ze betrapt had terwijl hij stiekem met
haar zuster stond te zoenen?
Ze zuchtte en ijsbeerde rusteloos door de kamer. Wat
moest ze doen? Als ze deed wat haar hart haar ingaf, vloog
ze vandaag nog terug naar Nederland, naar hun hotel, maar
ze durfde het niet.
Het ging nu redelijk met haar, langzaam kreeg ze het gevoel
dat ze deze gebeurtenis kon verwerken, maar ze wist niet
hoe ze zou reageren als ze Noortje en Leen weer onder
ogen zou komen. Waarschijnlijk was de wond nog te vers
om dat risico te nemen. Het begon te helen, maar het vlies-

je dat eroverheen lag was nog uiterst dun.

Voorlopig zou ze nog helemaal niets doen, besloot Froukje. Ze voelde zich niet verplicht om op deze brief te antwoorden, al verwachtte Leen dat misschien wel van haar. Ze had wekenlang gepiekerd en getreurd, nu ging ze eens genieten van haar logeerpartij bij Nicole. Alles van zich afzetten en proberen er een leuke tijd van te maken, dat had ze wel verdiend.

HOOFDSTUK 15

Nicole had haar vrije dag en de twee vriendinnen hadden heerlijk lang uitgeslapen, waarna ze naar het centrum van Londen waren getogen. Vooral Froukje leefde zich uit in het aanschaffen van een nieuwe garderobe.

„Is dat nu wat ze troostkopen noemen?" grinnikte Nicole. Ze bezweken bijna onder het grote aantal tasjes.

„Nee hoor, dit is gewoon heerlijk genieten van iets wat je leuk vindt," gaf Froukje ten antwoord. „En ik ben dolblij dat ik dat weer kan. Langzamerhand voel ik me steeds sterker worden."

„Als je er nog maar niet over denkt om terug te gaan, want ik vind het veel te gezellig dat je er bent," zei Nicole.

„Oké, oké, speciaal voor jou zal ik net doen of ik er nog lang niet overheen ben," grapte Froukje. „Als ik iemand van mijn familie spreek, zal ik huilend aan de telefoon hangen."

Omdat ze zoveel tassen moesten dragen trakteerde Froukje op een taxi naar Nicole's woning, waar ze uitgebreid alle aankopen nog eens bewonderden. Toen alles opgeruimd was kwam Nicole op hun eerdere gespreksonderwerp terug.

„Hoe voel je je je nu werkelijk?" vroeg ze met een onderzoekende blik op Froukjes gezicht. „Je loopt er wel grapjes over te maken, maar ik ken je langer dan vandaag. Jij bent te serieus op het gebied van de liefde om hier zo snel overheen te stappen."

„Ik weet het eigenlijk niet zo goed," antwoordde Froukje bedachtzaam. „Het is een heel scala van gevoelens, maar die worden wel minder. In eerste instantie was ik zo verdrietig en woedend tegelijk dat ik niets meer zag zitten en niets me meer interesseerde. Dat is nu aan het veranderen.

Ik kan weer lachen, ik slaap beter en ik voel me weer mens worden. Maar als ik aan Leen en Noortje denk krijg ik kramp in mijn maag en komen die eerste, heftige gevoelens weer boven. Ik denk niet dat ik het al aan zou kunnen om die twee samen gelukkig te zien, aan de andere kant zou ik Leen ook niet terug willen. Het is nogal verwarrend allemaal, maar ik voel wel dat het steeds beter gaat. Het is vooral een kwestie van tijd, denk ik."

„Die tijd moet je ook nemen, niemand heeft er iets aan als je de dingen gaat forceren," adviseerde Nicole. „Na een stevige griep ben je ook niet van de ene op de andere dag in staat om weer volop te werken en te sporten, dan moet je lichaam eerst herstellen. In jouw geval is het je geest die op moet knappen."

„Wat heb jij toch weer een heerlijke beeldspraak," lachte Froukje. „Dat jij geen psychologe geworden ben begrijp ik niet."

Nicole gooide een kussen naar Froukje, die precies haar hoofd raakte.

„Raak," zei ze voldaan. „Ik ben in ieder geval blij dat het beter met je gaat. De eerste dagen dat je hier was had ik daar een hard hoofd in. Je was zo bleek en lusteloos, je at bijna niets en ik zag je gewoon wegkwijnen. Eigenlijk dacht ik dat je zwanger was."

„Zwanger?" echode Froukje verbaasd. „Hoe kom je daar in vredesnaam bij?"

„Dat zeg ik toch? Mijn nichtje was tijdens de eerste maanden van haar zwangerschap net zo lusteloos als jij en die at ook heel weinig. Dus je weet zeker dat het niet zo is?"

„Voor driehonderd procent," knikte Froukje. „Of het zou een onbevlekte ontvangenis moeten zijn," voegde ze er lachend aan toe.

„Wat? Bedoel je…?" Nicole keek haar met grote ogen aan. „Frouk, dat meen je niet! Hoe lang gingen Leen en jij met elkaar om?"

„Een paar maanden."

„En in die tijd is er niets gebeurd? Geen wonder dat je er zo snel overheen bent." Nicole schudde haar hoofd. „Over zo'n man zou ik ook niet lang treuren."

Froukje lachte om de reactie van haar vriendin. „Er is meer in het leven dan seks," zei ze.

„Maar weinig wat net zo fijn is," gaf Nicole ad rem terug. „Weet je wat wij gaan doen? Wij gaan vanavond in mijn restaurant eten, daar zit het altijd vol met jongelui. Het is een soort vaste stamplaats geworden van een aantal vrienden van me. Het wordt hoog tijd dat jij eens echte mannen leert kennen."

Froukje protesteerde niet tegen dit voorstel. Het was lang geleden dat ze onbezorgd uit was geweest en ze had er eigenlijk wel zin in. Anderhalf uur later begaven ze zich op weg. Het restaurant, of eigenlijk meer een eethuisje ontdekte Froukje, lag niet ver van Nicole's etage. Het was gevestigd in de kelder van een landgoed, wat voor de helft bewoond werd en waarvan de andere helft gebruikt werd als zalencomplex voor feesten of vergaderingen. Neill's place stond er op een groot bord te lezen. Twee felrood gekleurde pijlen wezen naar de stenen trap die voerde naar de ingang. Het stuk tuin waar de trap zich bevond was verwilderd en de treden van de grijze trap behoorlijk afgesleten, toch maakte het geheel geen onverzorgde indruk. Het straalde warmte en gezelligheid uit, zodat iedereen zich direct welkom voelde. Het interieur was sober, maar niet kaal. Slechts enkele tafeltjes waren bezet, maar aan de enorme bar was het druk. Een groepje van een man of twaalf hadden de barkrukken bezet en zorgden voor flink wat lawaai. Een grote, dikke man met een geruit schort voor zijn enorme buik was bezig achter de bar. Zijn ogen glommen en de lachrimpeltjes in zijn gezicht verraadden dat hij plezier had in zijn leven.

„Dat is Neill, de grote baas," fluisterde Nicole Froukje toe. „Een schat van een man, als je je werk tenminste goed doet. Je moet hem niet als tegenstander hebben, want dan ben je slecht af. En dit is onze vaste klantenkring," vervolgde ze met een weids armgebaar naar het groepje aan de bar. „Jongens, dit is Froukje, mijn vriendin. Ze logeert een tijdje bij me."

„Wat een moed," riep één van de mannen. „Ik ben een keertje bij Nicole thuis geweest, maar daarbij vergeleken is mijn studentenflat een schoon onderkomen."

Hij kreeg de lachers op zijn hand met die opmerking en het ijs was meteen gebroken. Als vanzelfsprekend werd Froukje in de groep opgenomen. Er werd een kruk voor haar aangeschoven en een ander zette een glas wijn voor haar neer. Neill stak over de bar heen een grote, eeltige hand naar haar uit.

„Neill," zei hij met een knipoog. „Eigenlijk gewoon Nelis, maar dat klinkt niet."

„U bent Nederlander," begreep Froukje.

„Van geboorte wel, maar ik woon hier inmiddels al ruim dertig jaar. Ja, de liefde hè," grijnsde hij. „Mijn vrouw heb ik ontmoet toen ik hier een weekje op vakantie was, dus ben ik nooit meer teruggegaan naar Nederland."

„O, wat heerlijk romantisch," zuchtte Froukje. Ze plantte haar ellebogen op de bar en leunde genoeglijk met haar hoofd in haar handen. „En bevalt het nog steeds?"

„Ik heb nooit spijt gehad van mijn keuze, als je dat bedoelt.

Samen hebben we dit zaakje opgezet, ons levenswerk zogezegd. Jammer genoeg hebben we nooit kinderen gekregen, maar ik heb momenteel een neef uit Nederland over die me helpt. Hij is chef-kok." Zijn lach klonk bulderend door de ruimte. „Niet dat hij daar veel aan heeft hier. Ons belangrijkste menu is fish and chips. En sate, dat gaat er hier ook wel in. Maar koken kan die jongen wel, dat is een ding dat zeker is. De klanten waarderen die liflafjes niet zo, maar voor ons maakt hij regelmatig de lekkerste dingen klaar."

„Klopt. Mark is er de reden van dat ik nog niet omgekomen ben van de honger," vertelde Nicole. „Het menu hier is niet zo erg uitgebreid, maar dankzij Mark eet ik toch heel gevarieerd en heel gezond. O, daar heb je hem." Ze wees naar een man die uit de keuken kwam en zwaaide uitbundig. „Mark! Hierzo!"

Hij beantwoordde haar groet en kwam hun richting uit. Froukje hield haar adem in op het moment dat hun blikken elkaar kruisten. Hij had iets van Leen weg, maar dat was niet de reden dat ze ineens zo van slag was. De blik in zijn ogen trof haar en maakte haar in de war. Haar handen trilden toen Nicole haar aan hem voorstelde.

„Nicole's beroemde vriendin," zei hij met een warme stem. Met twee ogen knikte hij haar hartelijk toe. „Ik heb al veel over je gehoord."

Froukje was niet bij machte om antwoord te geven. Ze kon haar ogen niet van hem afhouden.

„Ja, dat is liefde, liefde op het eerste gezicht," zong Nicole zacht een oud liedje.

Froukje bloosde tot aan haar haarwortels. „Hou op," siste ze. „Straks hoort hij het nog."

„Nou en?" Onbekommerd trok Nicole haar schouders op.

„Hij kijkt iedere keer stiekem deze kant op, dus het is vast wederzijds. Mooi, dit is net wat je nodig had."

Froukje wierp een verstolen blik op Mark, die ook net naar haar keek en knipoogde. Verward sloeg ze haar ogen neer. Wat was dit in hemelsnaam? Ze had nooit in liefde op het eerste gezicht geloofd, maar het begon er nu op te lijken dat het wel degelijk bestond! Maar dat kon toch helemaal niet? Haar relatie was net op een zeer vervelende manier verbroken, ze had wel iets anders aan haar hoofd dan een nieuwe liefde. Haar verstand probeerde haar te vertellen dat dit onmogelijk was, maar haar lichaam sprak een andere taal. Iedere keer als ze Marks blik kruiste maakte haar maag een buitelend sprongetje en ging haar hart als een razende tekeer.

Nicole zag het met genoegen aan. Froukje was verliefd, dat stond voor haar als een paal boven water. Heerlijk!

„Goed uitgekozen," fluisterde ze, zodat de rest van de groep het niet kon horen.

Froukje keek haar verbaasd aan. „Wat bedoel je?"

„Hij is kok, dat komt altijd van pas in een hotel," grijnsde Nicole.

Froukje gaf haar een por met haar elleboog, maar Nicole's woorden werkten toch door in haar hoofd. Ze had natuurlijk wel gelijk. Ze wilde absoluut niet op de zaken vooruit lopen, maar stel dat ze ooit weer een relatie zou krijgen, dan was het wel handig als het met een man was die ook in het hotel kon werken. Het hotel... Ze vergat iedere keer dat ze daar weg was, misschien zelfs wel voorgoed. Zou ze ooit los kunnen komen van het hotel? Waarschijnlijk niet. Het was zo met hun leven en hun familie verweven, Froukje kon zich niet voorstellen dat ze ooit iets anders zou doen dan werken in hun eigen hotel. Aan de andere kant kon ze zich op dat moment nog niet voorstellen dat ze ooit weer terug zou keren. De drempel was voorlopig nog te hoog.

Haar mobiele telefoon haalde haar uit haar overpeinzingen. Sjoerd, zag ze op het schermpje. Snel liep ze naar een nis, zodat ze rustig kon praten.

„Ik heb goed nieuws!" schalde Sjoerds stem in haar oor, alsof hij niet honderden kilometers ver weg was. „Anneke is zwanger, we krijgen weer een kind."

„Echt waar? Wat heerlijk, gefeliciteerd," zei Froukje hartelijk. „Hoe voelt ze zich?"

„Beroerd, maar dat hoort bij de eerste maanden. Frouk, vind je het niet eens tijd worden om terug te komen?" vroeg hij toen zonder enige overgang. „We missen je. Je bent al zo lang weg."

„Nog niet lang genoeg, denk ik." Froukje haalde diep adem, zijn opmerking had haar overvallen. „Ik denk vaak aan thuis en aan iedereen, maar ik kan het nog niet aan, Sjoerd. Het heeft tijd nodig."

„We vinden het allemaal heel erg dat dit gebeurd is, Noortje en Leen incluis. Noortje vindt het vreselijk dat je weggegaan bent. Ze mist je heel erg, maar durft geen contact met je te zoeken."

„Zeg haar maar dat ik haar niets kwalijk neem," zei Froukje zacht. „Daar wil ik het voorlopig even bij laten."

„Oké dan. Hou je taai meid en tot kijk. Als ik iets voor je kan doen, laat het dan weten."

„Doe ik. Dag."

Froukje verbrak de verbinding en leunde een beetje bibberig tegen de muur van de nis. Behalve met haar ouders had ze tot nu toe geen contact met haar familie gehad en door Sjoerds telefoontje sloeg het heimwee ineens toe. Deed ze er wel goed aan om zo lang weg te blijven? Wie diende ze er eigenlijk mee?

„Gaat het?" klonk het ineens achter haar.

Zonder om te kijken wist Froukje dat het Mark was. Een warm gevoel stroomde plotseling door haar lichaam. „Heb je soms slecht nieuws gekregen? Kom, ga even zitten." Hij leidde haar naar een tafeltje en trok een stoel achteruit. Zelf nam hij tegenover haar plaats. Over het smalle tafeltje heen waren hun gezichten ineens heel dicht bij elkaar.

„Er is niets aan de hand," bracht Froukje er met moeite uit. Ze wilde haar ogen neerslaan, maar op de één of andere manier lukte dat niet. Ze moest hem aankijken, of ze wilde of niet. „Dat was een telefoontje van mijn broer en daardoor moest ik ineens heel erg aan thuis denken."

„Je mist je familie." Het was geen vraag, maar een constatering en Froukje knikte.

„Heel erg," zei ze eenvoudig. „We hebben een hele sterke band met elkaar, allemaal. Ik ben dan ook niet zomaar weggegaan."

„Ik heb het van Nicole gehoord. Denk niet dat ze over je roddelt," voegde hij daar haastig aan toe. „Nicole en ik zijn heel goed bevriend, we praten over alles. Voor de rest weet niemand waarom je bij haar logeert." Hij pakte haar handen vast en kneep er bemoedigend in.

„Het klinkt als een slecht romannetje, hè?" zei Froukje nerveus.

„Het klinkt meer alsof je een enorme dreun gekregen hebt. Wil je erover praten?"

Froukje keek om zich heen. Het groepje aan de bar praatte druk met elkaar en overstemde het geluid van rinkelend serviesgoed en achtergrondmuziek. Nicole zat met onverholen nieuwsgierigheid naar hen te kijken, waardoor Froukje zich behoorlijk opgelaten voelde.

„Niet hier," zei ze dan ook. „Ik zie Nicole er toe in staat om onder de tafel te kruipen, zodat ze alles goed kan horen."

„Oké, dan gaan we een eindje lopen," zei Mark voortvarend. Hij stond op en trok haar overeind. „Neill, ik neem mijn pauze," riep hij naar zijn oom.

„Is goed, jongen," zei Neill gemoedelijk. Samen met Nicole keek hij het paar na. „Ik ben benieuwd wat hiervan komt," mompelde hij.

„Dat kan ik je precies vertellen," lachte Nicole. „Die twee zijn hoteldebotel verliefd geworden op elkaar. Binnenkort ben jij je kok kwijt, reken daar maar op. Wedden dat hij in een Nederlands hotel gaat werken? Dan kom je dus nooit meer van me af, want de beste vriendin van je aangetrouwde nicht kun je niet ontslaan." Triomfantelijk keek ze hem aan.

„Daar was ik al bang voor. Misschien kan ik je contract beter nu meteen verbreken, voor het al te serieus wordt tussen die twee," plaagde Neill.

„Dan denk ik dat je te laat bent." Tevreden wees Nicole naar het raam. Mark hielp Froukje de smalle trap op en als vanzelfsprekend bleven hun handen elkaar vasthouden. „Volgens mij horen ze de bruidsklokken al luiden in de verte."

„Ik ben toch blij dat jij helemaal niet van overdrijven houdt," bromde Neill nog, maar Nicole hoorde hem niet meer. Verrukt keek ze het stel na zolang als ze kon, blij met deze ontwikkeling. Al werd het niets, dan nog was een nieuwe verliefdheid de remedie om over een mislukte relatie heen te komen, dacht ze.

Onbewust van Nicole's gedachten liepen Mark en Froukje,

nog steeds hand in hand, de verwilderde tuin in. Ze zwegen allebei, maar het was geen gespannen zwijgen. Er was een vreemde saamhorigheid tussen hen, alsof ze elkaar al jaren kenden in plaats van slechts een uur.

„Jij voelt het ook, hè?" zei Mark op een gegeven moment rustig. Het was meer een constatering dan een vraag. „Er gebeurt iets tussen ons, iets heel moois."

Froukje knikte slechts. Het lag niet in haar aard om koket te vragen wat hij bedoelde.

Alsof het afgesproken was namen ze plaats op een verveloos bankje achter in de tuin. Het onkruid tierde er welig en het was duidelijk dat hier weinig onderhoud gepleegd werd, maar dat deerde hen niet. Voor Mark en Froukje was dit vervallen stukje grond het paradijs op aarde. Ze gingen volledig in elkaar op. Met hun gezichten dicht bij elkaar begonnen ze allebei tegelijk te praten, daarna schoten ze eensgezind in de lach.

„Jij eerst," stelde Mark voor. Hij leunde achterover en sloeg als vanzelfsprekend zijn arm om haar schouder heen.

„Ik weet eigenlijk niet goed wat ik zeggen moet," bekende Froukje. „Je hebt gelijk, ik voel het ook, maar het brengt me in verwarring."

„Waarom?" vroeg Mark kalm. „Is het zo moeilijk om het gewoon over je heen te laten komen en ervan te genieten? Mensen willen altijd alles analyseren en bespreken. Bijna niemand neemt het leven meer zoals het komt."

„Het verbaast me dat ik hier blijkbaar voor open sta. Het overvalt me. Nog geen twee maanden geleden kwam ik hier helemaal over mijn toeren aan, na het verbreken van mijn relatie. En nu dit… Jij…" Ze zweeg verward. Wat gebeurde er toch met haar?

„Blijkbaar ben ik je lot," zei Mark met een warme klank in

zijn stem. „Geloof je daarin? Je moest hier naartoe komen om mij te ontmoeten."

„Jij had natuurlijk ook gewoon in Nederland kunnen blijven," zei Froukje nuchter. Ze stond meestal stevig met beide benen op de grond en hoewel Marks woorden haar fascineerden wilde ze er niet meteen aan toegeven. Zij meende dat mensen het grootste deel van hun lot zelf bepaalden, door de manier waarop ze in het leven stonden en met grote en kleine tegenslagen omgingen. „Als je alles op het lot of op toeval gooit, kun je net zo goed je hele leven op de bank blijven zitten, want dan gebeurt hetgeen wat voor je is weggelegd toch wel."

„Het is een combinatie van factoren," zei hij. „Maar de puzzelstukjes vallen wel op zijn plaats. Als jij geen relatie met Leen was begonnen, hadden wij elkaar nooit ontmoet."

„Dan was er waarschijnlijk wel iets anders op mijn weg gekomen," meende Froukje. Ze draaide zich naar hem toe en glimlachte. „Wat natuurlijk niet wegneemt dat ik heel blij ben met deze ontmoeting. Maar, wat ik net al zei, het verwart me ook."

„Probeer het niet te begrijpen, accepteer het gewoon," adviseerde hij. „Mijn oom Nelis heeft tot aan zijn dertigste nooit naar vrouwen omgekeken, toen ontmoette hij tante Susan hier tijdens een vakantie en hij heeft stante pede zijn hele leven omgegooid om bij haar te blijven. Liefde op het eerste gezicht. Ik heb altijd geweten dat het mogelijk is en nu is dat alweer bewezen."

„Lopen we niet veel te hard van stapel?" vroeg Froukje zich af. „Ik weet niet of ik hier al aan toe ben."

„We doen helemaal niets wat jij niet wilt, met de tijd komt alles vanzelf goed," stelde Mark haar gerust. „Het feit dat jij bestaat vind ik momenteel al een overweldigend idee."

Froukje leunde tegen hem aan, haar ogen gesloten. Ze was verbijsterd door wat haar zo plotseling overkwam. Verbijsterd, maar ook gelukkig, ontdekte ze. Voor het eerst sinds de breuk met Leen voelde ze weer geluk. Bijna alsof de tijd die ze met hem had doorgebracht niet bestaan had. „Mis je hem?" vroeg Mark alsof hij haar gedachten kon raden.

„Ik dacht van wel, maar nu ben ik daar niet meer zo zeker van," antwoordde Froukje eerlijk. „Daarnet, na dat telefoontje van Sjoerd, overviel het heimwee me, maar ik geloof dat dat meer voor mijn familie en het hotel geldt, dan voor Leen. Ik had al ontdekt dat ik door verkeerde motieven werd geleid toen ik met hem uitging, toch was ik echt verliefd op hem."

„Verliefdheid is een gevoel wat je op kunt wekken als je dat graag wilt, in tegenstelling tot liefde," filosofeerde Mark. „Liefde overkomt je, of je wilt of niet."

Froukje dacht terug aan haar gesprek met Nicole die middag. Zou ik met Mark op een onbewoond eiland willen zitten, vroeg ze zich af. Tot haar eigen verwondering was het eerste antwoord dat in haar opkwam een juichend ja.

HOOFDSTUK 16

Het was druk in hotel Margaretha. Het voorjaar was begin maart al in alle hevigheid losgebarsten en dat had veel mensen doen besluiten er een paar dagen tussenuit te gaan. Marga bemande de receptie en had daar haar handen vol aan. Het was een komen en gaan van gasten die een kamer wilden boeken, een klacht hadden of gewoon informatie wilden over de omgeving en de activiteiten.

Zo vriendelijk mogelijk stond Marga haar gasten te woord, al brak het zweet haar uit. Ze voelde zich helemaal niet goed vandaag. Haar handen trilden en haar benen voelden aan alsof ze ieder moment konden bezwijken.

„Gaat het?" vroeg een man haar bezorgd. „Zal ik iemand voor u roepen?"

„Nee hoor, het lukt nog wel," stelde Marga hem met een glimlach gerust. Nooit iets van problemen aan gasten laten merken, was haar devies. Desondanks was ze dolblij toen Leen even later naar haar toe kwam.

„Voel je je niet goed? Ik werd gewaarschuwd door één van onze gasten, hij maakte zich nogal bezorgd om je," zei hij.

„Ik heb me inderdaad weleens beter gevoeld, ja," gaf Marga zuchtend toe. „Ik weet niet wat ik heb, maar ik sta te trillen op mijn benen."

„Ga naar huis," zei Leen beslist. „Over een uur komt Leontien, tot die tijd neem ik de receptie wel van je over."

Hij leidde haar met zachte dwang de deur naar de personeelskamer door. „Ga zitten en neem wat te drinken. Ik stuur Barend naar je toe."

Met een zucht van dankbaarheid liet Marga zich op een stoel zakken.

Eindelijk even rust. Ze leunde met haar hoofd in haar handen en keek pas op toen Barend even later binnenkwam.

„Jij moet naar huis, je bed in," constateerde hij.

„Graag," zei Marga met een flauwe glimlach. „Ik neem wel een taxi, iedereen heeft het momenteel razend druk hier. Nee, niet zeuren, jij kan ook niet gemist worden."

„Jij bent voor mij belangrijker dan het hotel."

„Dat weet ik, maar ik ga thuis toch meteen naar bed, dus het heeft helemaal geen nut dat je meegaat." Marga stond op. „Wil jij even bellen? Dan pak ik mijn spullen."

Met gemengde gevoelens keek Barend even later de vertrekkende taxi na. Het zat hem toch niet lekker dat hij zich had laten overreden om in het hotel te blijven. Hij nam zich voor zo snel mogelijk naar huis te gaan om te kijken hoe het met zijn vrouw ging. Hij was er niet gerust op.

Marga liep doelloos door haar riante villa, te rusteloos om in bed te blijven liggen. Met een kop thee nam ze even later plaats op de bank, tegenover de open haard. Haar oog viel op de grote foto die aan de schoorsteen hing en ze glimlachte weemoedig. De foto toonde haar gezin in het bos, op een plek waar ze vroeger veel kwamen toen de kinderen nog klein waren. Geld om uitstapjes naar pretparken of iets dergelijks te maken was er nooit, maar ze hadden een vaste stek in het bos waar ze zo veel mogelijk naartoe gingen als het mooi weer was. Met limonade, broodjes, iets lekkers en wat speelgoed mee beleefden ze daar heerlijke dagen. Deze bewuste foto hadden Sjoerd, Lieke, Noortje, Froukje en Anneke laten maken ter gelegenheid van het zilveren huwelijk van Marga en Barend. Ze wilden per se een locatie die iets voor het bruidspaar betekende en dat was ze prima gelukt.

Terwijl ze naar de afbeelding keek, werd Marga overspoeld door herinneringen. Ondanks alle geldzorgen waren het fijne jaren geweest, besefte ze. Luxe konden ze zich niet veroorloven, maar ze waren gezond en hadden een hechte band met elkaar. Hun gezin was snel gegroeid en ze had het erg druk gehad in die tijd, toch had ze er bewust van genoten. Vier kinderen hebben was een enorme rijkdom. Toen ze eenmaal alle vier waren uitgevlogen, was ze in een zwart gat gevallen. Barend werkte hele dagen en 's avonds zaten ze voor de tv. Zelf had ze nooit een baan gehad en alleen de huishouding doen bevredigde haar niet langer, maar veel keus had ze niet. Geen enkele werkgever zat te springen om een vrouw zonder opleiding en zonder enige werkervaring.

Alles veranderde op het moment dat ze die enorme geldprijs wonnen in een buitenlandse loterij, mijmerde Marga verder. Ze zakte wat verder onderuit op de comfortabele leren bank en sloot even haar ogen. Ze was moe, maar de herinneringen bleven komen. Het eerste jaar na die prijs was ook niet makkelijk geweest. De veranderingen waren te groot en te onverwachts en het was haar al heel snel duidelijk geworden dat veel geld hebben geen garantie op geluk was, al was het heerlijk om niet meer te hoeven beknibbelen op haar uitgaven. Froukjes voorstel om met zijn allen een hotel te beginnen, was de redding voor haar gezin geweest. Door het gezamenlijke doel werden de familiebanden weer aangetrokken. Het was wrang dat juist Froukje nu het hotel had verlaten, maar Marga had er alle vertrouwen in dat het weer goed zou komen. De laatste berichten van haar dochter waren hoopgevend, vooral omdat een zekere Mark blijkbaar een grote plaats in haar leven innam. Voor Noortje en Leen kwam het ook wel in orde, daar was ze niet bang voor. Het had alleen even tijd nodig, maar de liefde zou uiteindelijk overwinnen. Wat dat betrof hoefde ze zich geen zorgen te maken over haar kinderen. Natuurlijk hadden ze allemaal hun problemen en hun strubbelingen in het leven, maar de liefde was bij allemaal ruimschoots aanwezig.

Alles bij elkaar had ze zowel letterlijk als figuurlijk een rijk leven, dacht Marga. Weer richtte ze haar blik op de foto. Het was een scherpe afbeelding, maar hij werd waziger naarmate ze er langer naar keek. Vreemd, het leek wel of het mistig werd. Ze knipperde een paar keer met haar ogen, maar het nam niet af. De grijze vlekken werden zwart en er kwam een enorme rust over haar. Gelaten sloot ze haar ogen, het was goed zo.

Anderhalf uur later reed Barend de oprit op. Hij had niet naar huis willen bellen omdat hij Marga dan wakker zou maken als ze sliep, maar hij wilde toch weten hoe het met haar ging. Ze had er zo breekbaar uitgezien toen ze in die taxi stapte. De vreemde stilte in het huis viel hem onmiddellijk op toen hij de hal binnenliep, al kon hij niet zeggen waarom dat was. Angst overviel hem. Alsof hij geleid werd, liep hij de grote zitkamer in, in plaats van naar de slaapkamer te gaan. Hij zag Marga onmiddellijk. Als versteend bleef hij in de deuropening staan, hij wist meteen dat hier geen hulp meer geboden kon worden. Langzaam liep hij naar haar toe en terwijl hij haar levenloze lichaam in zijn armen nam stroomden de tranen over zijn wangen.

Froukje ontving het bericht in Neill's place, waar ze bijna dagelijks te vinden was sinds de eerste keer dat ze daar een voet over de drempel had gezet. Zodra Mark even tijd had kwam hij bij haar aan een tafeltje zitten. Op deze manier hadden ze al talloze gesprekken gevoerd en elkaar goed leren kennen. Op het moment dat Sjoerd haar op haar mobiel belde, had Nicole pauze en was ze bij Froukje aangeschoven. Mark had het druk in de keuken met de voorbereidingen voor het avondmaal.

„Het gaat goed tussen jullie, hè?" vroeg Nicole net voor de mobiele telefoon begon te rinkelen.

Froukje knikte stralend. „Ja, het is ongelooflijk, maar echt waar. Vergeleken bij wat ik voor Mark voel stelde mijn verliefdheid op Leen niet veel voor. Dit is zo anders. Ja, met Froukje." Dat laatste sprak ze in haar telefoon, nog steeds met een brede lach op haar gezicht. Die lach betrok bij wat ze hoorde. Tot haar schrik zag Nicole Froukjes gezicht bleek wegtrekken.

„Nee!" schreeuwde ze. „Sjoerd, dat kan niet. Zeg dat het niet waar is!"

„Het spijt me, Frouk," zei Sjoerd echter zacht.

„Maar dat kan toch niet? Zomaar ineens?" De tranen liepen over haar wangen en machteloos sloeg ze met haar hand op het tafelblad.

„Het was een hartstilstand. Je weet dat ze tobde met haar gezondheid, maar dit kwam voor ons allemaal onverwachts. Voor de dokter ook, trouwens. Het stond los van haar andere klachten," vertelde Sjoerd.

„Ik kom zo snel mogelijk naar huis," beloofde Froukje.

Ze verbrak de verbinding en staarde verbijsterd voor zich uit. Haar handen trilden toen ze haar telefoon weglegde.

„Froukje, wat is er? Slecht nieuws?" vroeg Nicole dringend.

„Mijn moeder is dood," zei Froukje toonloos. „Plotseling. Ze voelde zich niet goed en was naar huis gegaan. Een paar uur later vond mijn vader haar op de bank."

Nicole sloeg geschrokken haar hand voor haar mond. „O, wat erg. Je moet nu natuurlijk naar huis toe."

„Ja, zo snel mogelijk." Ze maakte echter geen aanstalten

om op te staan en iets te ondernemen. Wezenloos staarde ze voor zich uit, lamgeslagen door dit vreselijke nieuws. Ze dacht terug aan de dag van haar vertrek naar Engeland. Als haar ouders die dag niet naar haar toe waren gekomen zou ze vertrokken zijn zonder afscheid te nemen. Gelukkig was dat niet gebeurd, daar kon ze tenminste dankbaar voor zijn.

Nicole had Mark gewaarschuwd en hij kwam direct naar Froukje toe.

„Ach lieverd," zei hij zacht, haar beide handen vastpakkend. „Oom Neill belt naar het vliegveld om de eerstvolgende vlucht voor ons te boeken."

„Ons?" Niet begrijpend keek Froukje hem aan.

„Ik ga natuurlijk met je mee." Zacht wiegde hij haar heen en weer in zijn armen. „Laat alles maar aan mij over."

Dat deed Froukje graag. Haar hoofd was volkomen leeg en zonder Mark had ze absoluut niet geweten wat ze had moeten doen. Haar hart werd warm bij de vanzelfsprekende manier waarop hij haar hielp en steunde. Haar vertrouwen in mannen had een behoorlijke dreun gekregen en ze was bang geweest dat haar vriendschap met Mark beperkt zou blijven tot haar terugkeer naar Nederland, maar hiermee bewees hij het tegendeel. Hij meende het wel degelijk serieus met haar, anders zou hij dit niet allemaal voor haar doen.

Diezelfde avond konden ze nog terugvliegen naar Nederland. Vanaf het moment dat Froukje Sjoerds telefoontje had gekregen had ze niet meer aan Leen en Noortje gedacht, maar op het moment dat ze voet op Nederlandse bodem zette, sloegen de herinneringen weer toe. Hoewel het onbelangrijk was vergeleken bij de dood van haar moeder, zag ze er vreselijk tegenop om haar zus en haar vroegere vriend onder ogen te moeten komen. De reden voor haar plotselinge vertrek stond haar ineens weer helder voor ogen, evenals de pijn die ze gevoeld had.

Sjoerd stond ze op te wachten en Froukje stortte zich huilend in zijn armen.

„Hoe kan dat nou? Hoe kan dat nou?" snikte ze.

„Wisten we daar het antwoord maar op," zei Sjoerd. Hij klopte haar kalmerend op haar schouder, tot het wilde snikken iets bedaarde. „Er is hier nog iemand voor je, Frouk. We vonden het verstandiger om jullie eerste ontmoeting niet thuis plaats te laten vinden, pa heeft het al moeilijk genoeg zonder andere complicaties binnen zijn gezin."

Hij deed een stap opzij en voor het eerst sinds die ene dag zag Froukje haar zus terug. Onzeker staarden ze elkaar aan, toen deed Froukje een stap naar voren. Weer stroomden de tranen rijkelijk terwijl ze elkaar omhelsden.

„Wat een rottige reden om elkaar terug te zien," zei Noortje schor. „Maar toch ben ik blij dat je er weer bent. Ik vind het allemaal zo erg en…"

„Stt," onderbrak Froukje haar. „Gebeurd is gebeurd, daar praten we niet meer over. Ik weet hoe het allemaal gegaan is, het heeft geen zin om dat op te blijven rakelen. Het is ook niet belangrijk meer, zeker nu niet. Kom, ik wil je aan iemand voorstellen."

Ze stelde Mark voor aan haar broer en zus en beantwoordde de stilzwijgende vraag die in Noortjes ogen te lezen was.

„Ja, Mark is de nieuwe man in mijn leven. De enige man," voegde ze daar met nadruk aan toe.

Noortje zuchtte. „Toch nog goed nieuws op deze noodlottige dag. Laten we naar huis gaan, pa zit op je te wachten."

De rit naar huis verliep zwijgend, in tegenstelling tot de

begroeting bij Barend thuis. Froukje verdween van het ene paar armen in het andere. Leen was er niet bij aanwezig, merkte ze met toch een beetje opluchting. Het was zo allemaal al emotioneel genoeg.

De ontmoeting met hem vond de volgende dag plaats, in het hotel. Barend had erop gestaan om naar het hotel te gaan om te kijken of daar alles goed verliep, omdat Marga zeker niet had gewild dat de gasten te lijden zouden hebben onder de tragische gebeurtenissen binnen hun gezin. „Ze zijn op vakantie, de rest van de wereld interesseert ze niet," placht ze altijd te zeggen. „Het is onze taak om de tijd die ze in het hotel doorbrengen zo aangenaam mogelijk te maken, ongeacht onze eigen omstandigheden."

Froukje ging met haar vader mee, evenals Mark, die na alle verhalen het hotel wel eens wilde zien. In de lobby kwam Leen naar hen toelopen. Froukje zag hem naderen en constateerde met verbazing dat het haar helemaal niets deed. Ze vond het leuk om hem terug te zien, omdat hij van het begin af aan ingelijfd was in hun familie, maar pijn deed het zeker niet. Onbevangen trad ze hem tegemoet, blij met deze ontdekking. Mark en Barend liepen door, zodat Froukje en Leen met zijn tweeën bleven.

„Froukje." Nerveus keek hij haar aan. „Gecondoleerd met je moeder. Ik kan je niet vertellen hoe erg ik dit vind."

„Dat weet ik," zei ze zacht. „Het is een enorme klap voor ons allemaal, ook voor jou."

„Het is mijn schuld dat je haar de laatste maanden van haar leven niet hebt gezien," zei Leen vol zelfverwijt.

Froukje schudde haar hoofd. „Zo moet je niet praten. We hebben allemaal fouten gemaakt, ik net zo goed. Wij pasten niet bij elkaar, dat heb ik altijd gezegd, toch ben ik met je uitgegaan. Waarom? Eenzaamheid, het verlangen om bij iemand te horen, allemaal verkeerde motieven. Door jouw ontluikende gevoelens voor Noortje belandden we in een stroomversnelling, maar zonder dat hadden we het ook geen jaren gered, denk ik. Het was een goede beslissing van me om een tijdje weg te gaan, ik heb veel nagedacht en ben tot de conclusies gekomen dat het allemaal niet voor niets is geweest."

„Met behulp van de man die met je meegekomen is?" vroeg Leen.

„Ja." Froukjes ogen glansden, hij zag het met genoegen.

„Daar ben ik blij om," zei hij warm. „Ik gun je alle geluk van de wereld. Ondanks dat het tussen ons niet is geworden wat we ervan verwacht hadden, blijf je een speciaal plekje in mijn hart houden."

„Ik hoop dat jij en Noortje ook heel gelukkig zijn," zei Froukje op haar beurt. Ze meende het oprecht en was blij dat ze dit zonder rancune kon zeggen. Ieder spoortje twijfel was uit haar hart verdwenen. Nu ze Leen weer terugzag, wist ze zeker dat Mark de man voor haar was. Op Leen was ze verliefd geweest, van Mark hield ze. Dat was een wereld van verschil.

„Noortje en ik hebben geen relatie met elkaar," zei Leen echter. „We konden ons geluk niet bouwen op jouw verdriet."

„Maar jullie houden van elkaar."

Hij knikte.

„Ga naar haar toe," adviseerde Froukje dringend. „Zo snel mogelijk. Ze heeft je nodig, niet alleen nu, maar altijd. Geluk is kostbaar en het leven broos, dat hebben we nu gemerkt. Ieder stukje geluk wat je kunt bemachtigen moet je pakken."

Leen pakte Froukjes handen stevig vast. „Je hebt gelijk.

Dank je wel, Froukje. Het betekent heel veel voor me dat juist jij dit zegt." Zijn stem klonk schor.

Peinzend keek Froukje hem na toen hij wegliep. Het hoofdstuk Leen was nu voorgoed verleden tijd, maar dat deerde haar niet. Hij werd vast een leuke zwager, dacht ze met een glimlach.

Haar kapsalon was die dag gesloten, maar de sleutel ervan hing nog steeds aan haar sleutelbos en even later dwaalde ze door haar eigen, kleine domein. Weemoedig wreef ze met een vinger over de wasbakken. Haar eigen kapsalon, ze had het gemist. Het werk, het hotel, haar familie, alles. Haar leven bestond uit het hotel en alles wat daarmee samenhing.

Ze vroeg zich af hoe dat in de toekomst moest gaan, want Marks leven lag in Engeland. Was ze bereid om dit allemaal op te geven voor een leven met hem? Ja, wist ze heel zeker. Hoe belangrijk dit ook was, Mark ging voor. Zonder hem zou het hotel ook zijn waarde voor haar verliezen, realiseerde ze zich. Ondanks dat ze hem nog maar kort kende, zat hij vast verankerd in haar hart.

Onwillekeurig vouwde ze een stapel slordig neergelegde handdoeken op. Alles was aan veranderingen onderhevig. Het was pas twee maanden geleden dat ze weggegaan was, maar het zou nooit meer hetzelfde zijn als voor haar vertrek nu haar moeder er niet meer was. Ach mam... De tranen sprongen alweer in haar ogen. Waarom toch? Waarom? Ze kon haar moeder nog helemaal niet missen. De bovenste handdoek van het nu zo nette stapeltje werd verfrommeld tot een natte prop toen Froukje haar tranen de vrije loop liep.

Zo vond Mark haar even later. Hij had wat door het hotel gedwaald en toen aan een kamermeisje gevraagd waar de kapsalon was, omdat hij wel vermoedde dat Froukje daar zou zijn.

„Hé, je hebt geen handdoek nodig om je te troosten, daar ben ik voor," zei hij terwijl hij haar in zijn armen nam. Zijn handen gleden kalmerend over haar rug.

„Het gaat alweer," snufte Froukje nog wat na.

Het was een heerlijk gevoel om in Marks armen te liggen, maar tegelijkertijd drukte het verdriet om haar moeder zwaar op haar. Het was allemaal zo dubbel, zo tegenstrijdig. Geluk en verdriet gingen hand in hand.

„Jullie hebben er een schitterend hotel van gemaakt," zei Mark, expres op een ander onderwerp overstappend om haar gedachten wat af te leiden. „Ik zal hier graag komen werken."

„Hè?" Met haar ogen nog rood van het huilen keek Froukje naar hem op. „Werken? Hier?"

„Ja, natuurlijk. Je denkt toch niet dat ik terugga naar Engeland en jou hier alleen laat? Of je moet me niet willen natuurlijk." Dat laatste voegde hij er plagend aan toe.

„Schat, ik wil niets liever," verzuchtte Froukje uit de grond van haar hart. „Maar dat kan toch niet zomaar? Jouw leven ligt in Engeland."

„Mijn leven is waar jij bent, dus hier. Je kunt het je familie niet aandoen om in het buitenland te gaan wonen, niet nu. Jullie hebben elkaar nodig om het verlies te kunnen dragen," zei Mark stellig. „Wat denk je ervan?" Hij keek haar vragend aan.

„Het is een droom die uitkomt," bekende Froukje hem. „Ik zat er net al aan te denken hoe dat moest gaan in de toekomst. Ik verlaat liever het hotel dan dat ik jou kwijtraak, maar dit is helemaal een perfecte oplossing." Plotseling schoot ze in de lach. „Is het eigenlijk niet belachelijk dat we hier over een gezamenlijke toekomst staan te praten terwijl we elkaar zelfs nog nooit gezoend hebben?" zei ze met pretlichtjes in haar ogen.

„Dat is iets wat we onmiddellijk gaan verhelpen," beloofde Mark terwijl hij zich naar haar overboog.

Geen van tweeën zagen ze de eenzame figuur van Barend. Vanuit het smalle gangetje sloeg hij zijn dochter en haar vriend door de ruit gade.

Je kunt gerust zijn, Marga, dacht hij weemoedig. Je zorgenkindje heeft haar bestemming gevonden.

Met gebogen hoofd liep hij door.

SLOT

Er ging een jaar voorbij. Weer zorgde het voorjaar voor een uitbarsting van bloemen in de tuin van hotel 'Margaretha.' Het stralende zonnetje had de familie Nieuwkerk naar buiten gelokt voor hun koffiepauze. Minstens één keer in de week brachten ze die gezamenlijk door, zonder andere personeelsleden erbij.

In plaats van in de personeelseetzaal, zaten ze nu in een beschut hoekje achter het zwembad, een plek die de gasten meestal niet opzochten.

Tevreden keek Barend naar de mensen om de grote, ronde tafel. Zijn gezin. Het gezin van hem en Marga, die hij zo vreselijk miste. Haar overlijden had een leegte in zijn leven gebracht die niet was op te vullen, gelukkig had hij zijn kinderen, schoonkinderen en kleinkinderen dagelijks om zich heen. Dat en het hotel dat de naam van zijn vrouw droeg, hielpen hem om door te gaan. Vaak had hij op het punt gestaan het bijltje erbij neer te gooien, maar in gedachten hoorde hij dan Marga's stem die hem aanspoorde. Zij zou gewild hebben dat hij het hotel zou voortzetten, dat wist hij en hij handelde daar dan ook naar. Zonder dit hotel, hun levenswerk, zou hij het nog moeilijker gehad hebben.

Damian, die vakantie had van school en samen met zijn zusjes een dagje mee had gemogen naar het hotel, trok aan Barends mouw, zodat hij opgeschrikt werd uit zijn gedachten. Met zijn grote ogen keek het kind hem vragend aan.

„Mag ik op schoot?" bedelde hij.

Barend glimlachte. „Natuurlijk. Dit is jouw schoot, dat weet je. Hij staat altijd tot je beschikking. Kom hier, knul."

Hij tilde zijn kleinzoon op zijn knieën en Damian kroop genoeglijk tegen zijn opa aan. Zijn grootvader was zijn grote vriend, die twee hadden een speciale band met elkaar.

„Charity wil niet met me spelen," vertrouwde Damian zijn opa toe. „Ik wil voetballen, maar zij zit alleen maar bij de baby. Ze zegt dat ze op haar moet passen, maar dat is niet waar, hoor oop. Mama past zelf altijd op."

„Ze vindt het leuk om met de baby te spelen. Het is toch ook leuk om een klein zusje te hebben, of niet soms?"

„Ach." Damian trok zijn schouders op. „Ik vind het leuker als ze kan voetballen, maar dat duurt nog heel lang, zegt mama."

Barend zette zijn kleinzoon op de grond en stond op. „Gelukkig heb je een opa die wel van voetballen houdt. Kom op, waar is je bal?"

Stralend gelukkig liep Damian achter hem aan naar het stukje grasveld naast het zwembad. Charity trok haar neusje op. „Voetbal," zei ze verachtelijk. „Wat is daar nou aan?" Ze kietelde haar kleine zusje, die naast haar op een plaid lag, onder haar kinnetje. „Gekke jongens. Wij doen zo stom niet, hè?"

„Ze is wel een echt klein moedertje," zei Lieke teder tegen Anneke.

„Zeg dat wel, ja. Ik moet haar af en toe echt even aan haar paardenstaart terugtrekken, want ze denkt dat zij Marja op moet voeden. Ik moet het eens wagen om haar langer dan tien seconden te laten huilen, dan wordt Charity woest," lachte Anneke. „Op dat soort momenten vindt ze me een ontaarde moeder. Dat kan nog wat worden als ze straks gaat kruipen en lopen." Met een zachte blik in haar ogen keek ze naar de kinderen op de plaid. Haar twee dochters. Ze kon zich nu niet meer voorstellen dat er ooit een tijd was dat ze geen kind meer wilde. Marja was een enorme rijkdom voor hun gezin. Direct na het overlijden van haar schoonmoeder was Anneke zich ervan bewust geworden dat ieder leven kostbaar was en schaamde ze zich voor haar afwijzende houding naar het leven in haar lichaam. Gelukkig was alles goed gekomen. Marja was meer dan welkom, bij hen allemaal. Tegen haar verwachting in was het Anneke zelfs prima gelukt om haar moederrol te combineren met haar werk. Twee dagen per week was Marja bij Noortje in de crèche en zwaaide Anneke de scepter in de souvenirwinkel, de andere dagen bleef ze thuis.

„Wees blij dat er nog zoiets als school bestaat, nu heb je Marja tenminste nog een paar uur per dag voor je alleen," grinnikte Lieke. Ze rekte zich ongegeneerd uit, genietend van het zonnetje. „Goh, wat zitten we hier heerlijk. Ik denk dat ik er nog maar een uur pauze aanplak, morgen kan het wel weer regenen."

„Ik kan wel merken dat jij tegenwoordig personeel hebt," plaagde Leen. „Je wordt lui."

„En dat bevalt me nog goed ook," lachte Lieke. „Sinds Daphne mijn administratie doet, heb ik zeeën van tijd over. Ik had nooit verwacht dat ik dat zo prettig zou vinden."

„David ook, denk ik," zei Sjoerd.

„Die is nog meer in de zevende hemel dan ik. Hij had ook al die tijd gelijk, besef ik tegenwoordig. Mijn werk slokte me veel te veel op en dat ging ten koste van ons huwelijk. Gelukkig heb ik dat op tijd ingezien."

„We hebben allemaal geleerd het laatste jaar," zei Sjoerd bedachtzaam. „Door zo'n onverwachte, tragische gebeurtenis ga je nadenken over je eigen leven. Ineens kijk je er dan heel anders tegenaan."

„Toch wilde ik dat het niet gebeurd was," zuchtte Lieke verdrietig. „Het gemis voelen we nog elke dag, soms lijkt het wel steeds erger te worden in plaats van minder. Heel raar, soms lijkt het alsof het al heel lang geleden is dat ik mama voor het laatst heb gezien en op andere momenten is het alsof het gisteren was. Zeker nu, als we zo allemaal bij elkaar zitten, verwacht je dat ze ieder moment aan kan komen lopen om erbij te schuiven."

„Ik weet precies wat je bedoelt," knikte Sjoerd. „Dat zijn dingen die met de tijd moeten slijten, zoals alles. Het leven gaat door."

„Dat weten wij als geen ander, ja. Er is heel veel gebeurd de afgelopen jaren, maar we zijn er allemaal sterker van geworden. Ik heb trouwens bewondering voor pa, zoals hij zich staande houdt."

„Met hulp van Gerda," zei Sjoerd. Hij maakte een hoofdbeweging naar de vriendin van zijn moeder, die aan de rand van het grasveld enthousiast zat te applaudisseren voor de prestaties van Barend en Damian. „Hij heeft enorm veel steun aan haar."

„Gelukkig wel. De lege plek die mam heeft achtergelaten kan ze nooit opvullen, maar het scheelt wel. Ze zorgt in ieder geval voor een beetje gezelligheid bij pa thuis."

Lieke staarde even in de verte. Sinds een paar maanden was Gerda bij Barend ingetrokken, als huurster van de bovenverdieping. In eerste instantie had ze moeite gehad met dat besluit, omdat het voor de buitenwereld heel anders leek, maar tegenwoordig was ze blij met deze oplossing. Hoewel ze ieder hun eigen woongedeelte hadden, waren ze ook vaak in elkaars gezelschap te vinden. Beiden wisten wat het was om na zo'n lange tijd samen een partner te verliezen, al was het dan bij allebei op een andere manier. Ze hadden een groot deel van het verleden samen doorgebracht en dat schiep een extra band.

Mark luisterde stil naar het gesprek naast hem. Hij was de enige die Marga nooit gekend had, maar door de verhalen die hij over haar had gehoord, was ze geen onbekende voor hem. Hij vond het jammer dat ze nooit kennis hadden gemaakt. Zijn gedachten gingen terug naar een jaar geleden. Na de begrafenis was hij voor een paar dagen teruggegaan naar Engeland om zijn zaken daar te regelen en zijn spullen te pakken, daarna had hij zich voorgoed in Nederland gevestigd. Eerst op een klein huurkamertje, maar al heel snel had hij zijn biezen gepakt om bij Froukje te gaan wonen. Het was een besluit waar hij nog geen seconde spijt van had gehad. Zijn plotseling opgekomen gevoelens voor Froukje hadden hem niet bedrogen, nog steeds was zij de vrouw voor hem en hij wist dat dat ook altijd zo zou blijven. Het was een gevoel dat niet uit te leggen was. Froukje was zijn soulmate, zijn andere helft. Samen vormden ze één persoon, dat benaderde zijn gevoelens nog het beste.

Zijn blikken dwaalden naar Froukje, die met Noortje zat te praten. Leen had zich inmiddels bij Barend en Damian op het grasveldje gevoegd, net als Sjoerd. Lieke, Anneke en Gerda juichten de mannen toe. Het halfuurtje koffiepauze begon stevig uit te groeien, maar niemand maakte zich daar druk om. Er waren momenteel niet veel gasten in het hotel, bovendien wist het personeel waar ze zich bevonden. Als het nodig was, werden ze vanzelf geroepen. Er klonk een luid getoeter op het parkeerterrein dat naast het veldje gelegen was en tot haar verrassing zag Lieke David uit zijn auto stappen.

„Ik belde net en hoorde dat jullie je teruggetrokken hadden," lachte hij. „Het leek me een goed moment om er een uurtje tussenuit te breken en mee te doen."

Damian juichte. „Kom mee voetballen, ome David!" riep hij. „Bij mij, dan zijn wij lekker met zijn drieën tegen hun tweeën. Kunnen we winnen!"

„Laat ome David eerst een kop koffie drinken," temperde Lieke het enthousiasme van haar neef. Ze schonk een beker vol uit de thermoskan en overhandigde die hem samen met een zoen. „Goed plan van je," fluisterde ze in zijn oor.

Hij knipoogde. „Gelukkig kunnen we tegenwoordig allebei ons werk even opzij schuiven om tijd te maken voor de leuke dingen in het leven. Dit zijn gouden uren, die moeten we koesteren."

„Ach, kijk die tortelduifjes eens," zei Froukje tegen Noortje. „Helemaal verloren voor de rest van de wereld en dat na ruim twee jaar huwelijk."

„Gelukkig wel, het heeft er een tijdje anders uitgezien. Eerlijk gezegd ben ik wel eens bang geweest dat het fout zou lopen tussen die twee. Lieke was zo geobsedeerd door haar werk. David kwam bij haar op de tweede plaats."

„Nu in ieder geval niet meer. Wat dat betreft mogen we geen van allen klagen over onze relaties, ze zijn allemaal goed."

„Meer dan goed zelfs," knikte Noortje met glanzende ogen. Ze aarzelde even en keek om zich heen. Ieders aandacht was verlegd naar het voetbalveldje, niemand had belangstelling voor hun gesprek.

„Jij bent de eerste die het hoort: Leen en ik gaan trouwen. Hij heeft me gisteren officieel ten huwelijk gevraagd," vertelde ze blozend. „En eh... Ik wil je vragen of jij mijn getuige wilt zijn."

„Noor, dat is fantastisch! En natuurlijk wil ik dat!" schreeuwde Froukje enthousiast. Ze sprong overeind en omhelsde haar zus stormachtig. „Dit is het beste nieuws sinds jaren," zei ze tevreden.

Haar actie had tot gevolg dat de hele familie om hen heen kwam staan, iedereen wilde weten wat er aan de hand was.

„Leen en ik gaan trouwen," vertelde Noortje voor de tweede keer. Ze stak haar hand uit naar haar aanstaande echtgenoot en hij greep die stevig. Ze werden meteen bedolven onder de kussen en gelukswensen.

„Ik hoop dat je heel gelukkig wordt," zei Barend zacht tegen zijn dochter.

Ze kneep even bemoedigend in zijn arm. „Dat ben ik al, alleen het gemis van mama doet zo'n pijn. Het zou nog veel fijner zijn als ze erbij was. Ik vind het zo erg dat ze nooit heeft geweten dat het allemaal zo goed afgelopen is, zowel voor Froukje als voor mij."

„Daar had ze wel alle vertrouwen in, ze kende jullie tenslotte. Trouwens, wie zegt dat ze er niet de hand in heeft gehad dat alles op zijn pootjes terecht is gekomen? Je hoort wel vreemdere dingen. Er gebeurt meer tussen hemel en aarde dan wij mensen kunnen bevatten."

„Dat is in ieder geval een fijne gedachte," zei Noortje, omhoog kijkend naar de stralend blauwe lucht.

Verbeeldde ze het zich, of lachte de zon echt naar haar? Onwillekeurig lachte ze terug en zwaaide even omhoog. Je kon tenslotte nooit weten.